Woedend zwart

Meer informatie:

www.uitgeverijholland.nl
www.miekevanhooft.nl

Mieke van Hooft

Woedend zwart

Uitgeverij Holland - Haarlem

Dit boek kan gekozen worden door de Kinderjury 2009
Stemmen? Kijk op www.kinderjury.nl

Omslagontwerp: Studio Jan de Boer

ISBN 978 90 251 1049 9
NUR 282-283

Hoofdstuk 1

Eigenlijk kan ik het nog steeds niet begrijpen. Niemand van mijn klas begrijpt het, denk ik. Ik weet ook niet precies wanneer het is begonnen. Het is stapje voor stapje steeds een stukje verder gegaan.
Tot ik er niet meer tegen kon.
Tot ik dacht dat mijn kop barstte.
Totdat ik wist dat ik iets moest doen.

De dag dat we Poekie vonden was er in ieder geval nog niks aan de hand. Ik zat in de klas een beetje te dromen. Het was lekker weer en de zon die door het raam naar binnen scheen, raakte precies mijn wang. Ik tekende poppetjes in mijn schrift. Ik hoorde de stem van meester Willem maar ik had geen idee waar de les over ging. Dat gebeurt wel vaker. Ik kan er niets aan doen. Ik ben ook altijd snel afgeleid. Ik zie het meteen als er een vlieg over het bord loopt. Of als iemand met zijn voet wiebelt. Of als er een blaadje van een plant valt.
Ik dacht aan het mailtje dat ik de avond daarvoor naar Het Nieuwsblad had gestuurd. Ik wist zo ongeveer nog wat er in stond:

Van: Tom Hoogstraten
Aan: redactiejeugdpagina@hetnieuwsblad.nl

Beste redactie,

Ik heet Tom Hoogstraten. Ik ben 11 jaar. Ik zit in groep 7 van basisschool Het Kofschip bij meester Willem. Ik zit pas

twee maanden op deze school maar ik vind het de leukste school die ik ken. Dat komt vooral door meester Willem. Op mijn vorige school werd ik veel gepest omdat ik rood haar heb en een bril. Maar op Het Kofschip gebeurt dat niet. Daar zorgt meester Willem wel voor. Iedereen in de klas heeft een antipest-contract ondertekend.
Meester Willem kan ook heel mooi zingen en tekenen en hij leest iedere dag voor. Hij maakt veel grapjes en hij zegt altijd: 'Als je problemen hebt, dan kom je maar. Dan lossen we ze samen op.'
Daarom geef ik mijn meester op als Meester van de Maand. Ik hoop dat hij de beker krijgt want Willem is echt een supermeester.

Ik had niemand iets verteld van dat mailtje. Het moest een verrassing zijn. Stel dat meester Willem werd uitgekozen. Dan kwam hij in de krant en onze klas ook. Iedereen zou het geweldig vinden.
Plotseling hoorde ik mijn naam. Ik keek op uit mijn schrift en zag dat de kinderen me grijnzend aan zaten te staren. Meester Willem trok zijn wenkbrauwen op zodat ze verdwenen onder zijn grijze krullen. 'Tom,' zei hij. 'Zit je weer te dromen, jongen?'
Ik bloosde. Ik bloos nogal gauw doordat ik zo'n lichte huid heb. Op mijn vorige school werden daar altijd flauwe grapjes over gemaakt. 'Het stoplicht springt op rood,' zeiden ze dan, en meer van dat soort dingen. Daardoor werd ik altijd nog roder en dan gloeiden mijn wangen alsof ik een zonnesteek had opgelopen.
'Probeer eens wakker te blijven,' zei meester Willem. 'Loop jij even voor mij naar de kelder om kartonnen kokers te halen voor de handenarbeidles?'
'Ehm...' deed ik. Ik zal wel een beetje hulpeloos hebben gekeken want meester Willem knikte naar Spook. 'Sietse, wijs jij Tom de

weg? Breng maar flink wat kokers mee, we hebben er een hoop nodig.' Meester Willem is de enige die Sietse bij zijn voornaam noemt. De hele klas noemt hem Spook, terwijl dat eigenlijk zijn achternaam is. Je zou misschien denken dat Sietse een heel bleke jongen is met witblond haar, maar dan heb je het mis. Spook heeft lang donker haar dat hij in een staart op zijn rug draagt. Hij heeft altijd een zwarte muts op, ook in de klas en ook als het warm is. Ook zijn shirts en broeken zijn zwart en hij draagt hoge zwarte schoenen met dikke zolen. Hij is altijd heel stil, net als ik. Misschien is hij ook wel een dromer.
Samen met Spook ging ik de klas uit. We liepen door de lange gang. Ik keek door de ramen de andere klassen in. Ik vond het leuk daar te lopen terwijl iedereen aan het werk was.
Voor een deur stonden we stil. Spook opende hem en knipte het licht aan. Hij ging als eerste de trap af en ik volgde hem, ondertussen om me heen kijkend.
De kelder bleek een opslagplaats te zijn voor van alles en nog wat. Tafels, stoelen, kasten, opgerolde landkaarten en veel, heel veel grote dozen waar met viltstift iets op was geschreven: verf, verkleedkleren, Kerst, carnaval, Pasen, feest, kamp.
'Het stinkt hier,' zei Spook.
Dat vond ik ook.
'Een pislucht,' zei Spook en hij trok een vies gezicht.
'Waar zijn die kokers?' vroeg ik. Ik had alle etiketten op de dozen gelezen maar het woord 'kokers' stond er niet bij.
Onverwacht klonk er een geluid. Geritsel. Of geschuifel. We bleven allebei stilstaan.
'Muizen denk ik,' zei Spook. 'Bang?'
Ik schudde mijn hoofd, maar ik wist niet of hij wel gelijk had. Ingespannen bleef ik staan luisteren.
Eerst bleef het een poosje stil, toen begon het geritsel opnieuw. Het geluid kwam van links. Daar stonden twee keukentrappen en

er lag een groot net met ballen. Ernaast lag een stapel opgevouwen lappen. Ik denk dat het allemaal oude gordijnen waren. Een goudkleurige kunstkerstboom leunde ertegenaan. De takken waren ingeklapt en hier en daar hing nog een plukje engelenhaar. Ik schoof hem een stukje opzij en schrok me gek van het gekrijs dat ineens vanachter de stapel lappen kwam. Ik zette drie stappen terug en botste tegen Spook die me met wijdopen gesperde ogen aankeek. Het duurde maar even. Toen ontspande zijn gezicht weer. En nog voordat hij het zei, wist ik het plotseling ook: 'Het is een kat!' We zeiden het precies tegelijk.
Spook pakte een bezem. Voorzichtig duwde hij de stapel gordijnen wat opzij. De kerstboom zakte verder onderuit en viel kletterend op de grond. Er klonk opnieuw gekrijs en daarna een dreigend geblaas. Samen met Spook boog ik me voorover. Achter de gordijnen zat een broodmagere kat, grijs met felle groene ogen. Dicht tegen haar aan friemelden twee kittens.
We waren allebei te verbaasd om meteen iets te zeggen.
Spook trok de bezem langzaam terug. De moederpoes begon de jongen te likken maar hield ons ondertussen scherp in de gaten.
'Zal ik meester Willem halen?' stelde ik voor. Ik fluisterde, dat ging vanzelf.
'Doe maar.' Ook Spook fluisterde. 'Ik blijf hier.'
Ik liep de kelder door, de trap op. Heel zacht, zonder geluid te maken. Maar toen ik boven was en in de gang stond, begon ik te rennen. Mijn voetstappen maakten zoveel lawaai dat ik door de ramen in alle klassen kinderen zag opkijken. Rennen in de gangen is verboden maar op dat moment kon ik niet anders.
Ik rukte de deur van mijn klas open. Meester Willem stond voor het bord met een krijtje in zijn hand. Hij keek over zijn bril die hij zoals meestal op het puntje van zijn neus had staan. Er was een frons tussen zijn wenkbrauwen. 'Nou Tom, kan het niet rustiger? Ik...'

'Er zit een kat in de kelder!' Ik ging niet naar binnen. Ik bleef met de klink van de deur in mijn hand op de drempel staan. 'Een kat met jongen. Twéé! Kom mee!'
Iedereen duwde zijn stoel naar achteren. Poten krasten en piepten over het zeil. Schriften vielen van tafel, pennen en potloden rolden er achteraan. Twee tellen later stond de hele klas bij de deur. Alleen meester Willem niet. Die stond nog voor het bord. Hij legde het krijtje weg en stak allebei zijn handen op. 'Ho!' zei hij. En toen nog eens: 'Ho! Dit lijkt me geen goed plan. Ga allemaal rustig zitten!'
Natuurlijk begon iedereen te protesteren. Toch ging ieder kind terug naar zijn stoel. Vol verwachting keken ze naar mij en meester Willem.
'Luister,' zei meester Willem. 'Een poes met jongen wil rust. Dat beest wordt doodsbang als jullie met zijn allen de kelder instormen. Laten we het volgende afspreken: ik ga met Tom mee en jullie blijven hier. Zachtjes praten mag, maar verder geen flauwekul. Gaat dat lukken? Ik ben zo terug.'
Iedereen zat braaf te knikken, maar ik kon wel zien dat ze het allemaal superspannend vonden.
Ik draaide me om. Ik wilde alweer gaan rennen, maar hield me net op tijd in.

Samen daalden we de keldertrap af. Spook zat op zijn hurken naast de stapel gordijnen. Hij stond op zodat de meester er langs kon.
'Ach...' zei meester Willem. 'Arm beest. Moet je zien: ze is broodmager!'
'Mogen ze mee naar de klas, meester?' Spook keek hem smekend aan.
Meester Willem rommelde wat tussen de dozen en maakte er een leeg. Er zaten eierenkartons in. Hij stapelde ze op een plank. Hij

pakte een van de lappen van de stapel en legde die op de bodem van de doos. Hij praatte tegen de poes, heel kalm en geruststellend. Zoals tegen een klein kind dat bang is in het donker. Hij stak een hand naar haar uit en ze liet zich aaien en kneep haar ogen een beetje samen.
'Goed zo meisje.' Meester Willem schoof de doos wat dichterbij. Waakzaam gingen de ogen van de poes weer wat verder open.
'Rustig maar... Kòm.' Al pratend tilde de meester de poes en de jongen in de doos. Toen keek hij naar Spook en mij. Hij glimlachte. 'Gelukt!' zei hij.

De doos kreeg een plekje in de klas. In de hoek achter het bureau van meester Willem.
's Avonds schreef ik opnieuw een mailtje:

van: **Tom Hoogstraten**
aan: **redactiejeugdpagina@hetnieuwsblad.nl**

Beste redactie,

Hier ben ik nog een keer. Weer over meester Willem van Het Kofschip.
Een poes heeft jongen gekregen in de kelder van onze school. Meester Willem heeft hen eruit gehaald en toen kwamen ze bij ons in de klas. Meester Willem heeft hen goed verzorgd. Wij mochten namen verzinnen. De moederpoes heet Poekie en de kleintjes Ernie en Bert.
Meester Willem heeft ons getrakteerd op beschuit met muisjes. Hij is de tofste meester die er bestaat. U moet hem de Beker van de Maand geven!!!!

Hoogachtend, Tom Hoogstraten

Hoofdstuk 2

We hebben Poekie en de kleintjes op vrijdagmiddag gevonden. Omdat het net voor het weekend was, heeft meester Willem ze mee naar zijn huis genomen. Ik moest er vaak aan denken. Wij hebben thuis ook poezen: Trix, Dorus en Hannibal, en ik hou veel van hen. Ik vind het fijn om zo'n snorrend lijfje tegen me aan te houden. Het mooie van beesten is dat ze nooit aan je kop zeuren. Het maakt ze niks uit of je kamer is opgeruimd of dat je alweer een onvoldoende hebt gehaald of zoiets. Het liefst heb ik Trix en Dorus op mijn schoot en Hannibal op mijn nek. Hannibal is dan net een sjaal, die blijft gewoon hangen.
Ik vroeg me af wat er met Poekie zou gebeuren. Zou de meester haar zelf houden? En Ernie en Bert? Ik had al voorzichtig bij mijn moeder gepolst of we er nog een katje bij mochten hebben maar ze reageerde niet erg positief.
Op zondagmiddag verveelde ik me. Niet dat er niks te doen was. Mijn moeder kon wel een karweitje bedenken. Maar daar had ik geen zin in. Twee maanden daarvoor waren we verhuisd en nu hadden we een huis met een theetuin. Ik wist eerst niet eens wat dat was, maar toen we ons nieuwe huis gingen bezichtigen en mijn moeder de grote tuin zag die erbij hoorde, riep ze meteen dat ze er een theetuin van wilde maken. En dat ze daar al haar hele leven van had gedroomd. Nu hebben we een soort restaurant dat alleen is geopend als de zon schijnt. Dan zitten er dus allemaal wildvreemde mensen in onze tuin thee te drinken. Mijn moeder bakt taart en cake, dat is haar grote hobby, en die kun je in de theetuin opeten.
Nou leuk, maar niet heus. Als het druk is, moet ik helpen en loop ik met kopjes en taartjes te sjouwen. Terwijl het de hobby van mijn moeder is!

Die zondag was het mooi weer. Ik had al een hoop fietsers zien langskomen op de dijk achter ons huis. In de keuken rook het naar appeltaart en chocoladecake dus het leek me slim om er tussenuit te knijpen. Ik pakte mijn fiets en reed wat rond. Ik had niet echt een doel. Ik had nog geen vrienden hier en eigenlijk vind ik het ook altijd fijn om alleen te zijn. Dan kan ik lekker denken. En dromen. Ik denk wel eens dat ik een afwijking heb. Mijn zus van vijftien, Annemoon, had al meteen een hoop nieuwe vriendinnen. Ze heeft ook al twee keer een vriendje gehad sinds we hier wonen. Maar ik was nog steeds alleen. Misschien kwam het wel doordat ik zo verlegen ben en zo stil. Meestal vind ik het wel best, maar die dag had het me wel leuk geleken als ik naar iemand toe had kunnen gaan.
Ik moest aan Spook denken. Spook leek me aardig, maar ik kon toch niet zomaar bij hem aanbellen? Ik wist trouwens niet eens waar hij woonde.
Ik sloeg links en rechts wat straten in en toen zag ik ineens meester Willem. Hij liep een tuinpaadje op, haalde een sleutel uit zijn broekzak en opende de huisdeur. Woonde hij daar? Ik had vaart geminderd en reed heel langzaam verder. Daar stond zijn auto! Ik moest meteen aan Poekie denken. Ik keek om. Hij was het huis al binnen. Ik reed nog een klein stukje door en keerde toen om.
Het gekke was dat ik op dat moment helemaal niet bang of verlegen was. Bij meester Willem voelde ik me altijd op mijn gemak. Bij Spook durfde ik niet aan te bellen maar bij meester Willem had ik daar geen moeite mee.
Misschien is toen alles wel begonnen. Had ik dat niet moeten doen. Was het ontzettend stom van me om in mijn eentje de meester op te zoeken. Maar hoe kon ik dat weten?

De meester keek me heel even vragend aan, alsof hij twee tellen

nodig had om door te hebben wie er bij hem op de stoep stond. Toen glimlachte hij. 'Hé... wie hebben we daar? Tom! Vanwaar deze eer?'
Ik friemelde wat aan mijn fietssleutel en voelde dat ik toch ging blozen. 'Ik eh...'
Zijn mondhoeken krulden verder omhoog. 'Laat me raden! Jij wilt weten hoe het met de poesjes gaat!'
Ik knikte en hij glimlachte terug.
'Kom binnen!' Hij duwde de deur verder open en ik stapte de gang in.
'Ik zag je toevallig lopen,' legde ik uit.
'Ja, ik kom net thuis.' De meester liep voorop de lange gang door. Overal hingen schilderijen in felle kleuren. Ze trokken meteen mijn aandacht, maar meester Willem was al een kamer ingelopen en ik ging hem snel achterna.
'Kijk,' zei hij. 'Hier zit moeder met haar koters.'
Dezelfde doos die eerst in de klas had gestaan, stond nu onder het raam van de huiskamer. Ernaast stonden een bakje water en een schaaltje met kattenbrokjes. Ik liet me door mijn knieën zakken.
'Ha... Poekie!' zei ik zacht. Ze liet het toe dat ik haar heel voorzichtig aaide en begon toen te spinnen. De kleintjes lagen dicht tegen haar aan.
Meester Willem hurkte naast me. 'Volgens mij ben jij een echte kattenvriend,' zei hij.
Ik vertelde over Trix, Dorus en Hannibal. En over hoe Hannibal altijd als een sjaal om mijn nek hing.
'Lekker warm!' De meester grinnikte.
Ik vroeg wat er met Poekie ging gebeuren. Meester Willem zei dat hij eerst wilde proberen om de eigenaar te vinden. Hij had al een briefje opgehangen in de supermarkt. 'Als niemand zich meldt, moeten we een nieuw baasje zoeken. Tot die tijd mogen ze hier blijven.'

'Niet in de klas?' Ik had verwacht dat ze maandag weer terug zouden komen. Dat leek me leuk.
'Lijkt me niet zo'n goed idee. Hier hebben ze het lekker rustig.'
'Jammer!'
Hij gaf me een tikje op mijn schouder. 'Ik wil natuurlijk ook niet dat jullie de hele dag naar die katten kijken in plaats van naar mij.'
We stonden op.
'Zo,' zei de meester. 'Ik ga eens verder. Ik moet nog eten. Ik wilde net een ei in de pan gooien. We zien elkaar morgen weer. Ben je al een beetje gewend bij ons in de klas?'
'Best wel.'
'Heb je het naar je zin?'
'Ja!'
'Mooi!'
Hij liet me uit. Ik stapte op mijn fiets. Toen ik wegreed keek ik nog even om. Meester Willem stond nog in de deuropening. Hij stak zijn hand op.
Ik zwaaide terug.

Hoofdstuk 3

Toen ik thuiskwam zat de tuin vol mensen. Fietsen stonden tegen het hek of leunden tegen de kastanjeboom. Een paar kleuters renden elkaar met een waterpistool achterna.
Bijna alle tafeltjes waren bezet. Bezoekers roerden in hun theekopjes of aten van hun taart.
Er werd gepraat en gelachen en mijn moeder liep rond met een gezicht alsof ze jarig was. Ik hoopte dat ze mij niet zou zien en maakte zo snel mogelijk dat ik binnenkwam.
In de keuken kwam ik gelukkig Gabriël tegen. Hij vindt het leuk om mijn moeder te helpen en als hij er is, word ik meestal niet ingezet.
'Ha die Tom!' Gabriël begroette me met een glimlach. 'Druk hè, buiten?' Hij knikte met zijn hoofd in de richting van de tuin.
Gabriël woont bij ons in de straat. Hij houdt kippen en verkoopt eieren; zodoende raakte mijn moeder met hem aan de praat. Hij is al jaren gepensioneerd maar altijd op zoek naar karweitjes. Zo plakt hij bijvoorbeeld de lekke banden van de hele buurt.
Hij heeft een grappig hoofd: bovenop zijn schedel is een kale plek, daaromheen groeit lang grijs haar. Het is net een vogelnest.
Hij stond de vaatwasser te vullen. Een geblokte theedoek hing over zijn schouder.
'Hoi Gabriël! Is er nog iets lekkers voor me?'
'Daar ga ik niet over,' zei Gabriël. 'Dat weet je.'
Ik wist wel dat mijn moeder nooit moeilijk deed over een plakje cake, dus snuffelde ik rond bij het gebak. Naast appeltaart en chocoladecake was er ook altijd iets nieuws, iets speciaals. Dit keer waren het wortelcakejes. Dat klinkt goor, maar ze smaken heerlijk.

Ik pikte er een van de schaal en ging aan de keukentafel zitten. Ik had juist mijn eerste hap genomen toen mijn moeder binnenkwam met een dienblad vol vuile kopjes. Ze zag er verhit uit maar was nog steeds vrolijk.
'Lekker?' vroeg ze, naar mijn cakeje kijkend.
Ik knikte met volle mond. 'Moet je vaker maken!'
Ze was de keuken alweer uit met een ander dienblad.
Gabriël sloot de deur van de vaatwasser en drukte op de startknop. 'Mooi weer om te fietsen,' zei hij. 'Je moeder heeft het goed bekeken met haar theetuin! Het bord is trouwens mooi geworden!'
Met 'het bord' bedoelde Gabriël het uithangbord dat ik had geschilderd. Er stond een gebloemde theepot op met daarboven, in een boog, het woord 'Theetuin'. Het hing aan een tak van de kastanjeboom. Ik had, zoals altijd, vrolijke kleuren gebruikt. Veel rood, oranje, geel en groen. Zure-appeltjes-groen. Ik hou van schilderen. De tafeltjes in de tuin heb ik ook geschilderd. Roodwit geblokt, net alsof er kleedjes op liggen.
Ik had het cakeje op en veegde de kruimels van mijn lippen. Misschien moest ik maar eens bedenken wat ik zou gaan doen, de rest van de middag.
'En, hoe bevalt je nieuwe school?' vroeg Gabriël. 'School' is altijd een favoriet onderwerp bij volwassenen. Gabriël was begonnen met het leegruimen van het volle dienblad dat mijn moeder had meegebracht.
'Goed,' zei ik en ik vertelde over de poesjes die waren geboren in de kelder.
Gabriël stopte even met afruimen en leunde tegen het aanrecht. Hij kneep zijn ogen een beetje samen. 'Hoe zei je dat die moederpoes eruitzag? Grijs? Helemaal grijs?'
Ik knikte. 'Zo grijs als een muis. Waarom?'
'Ken je Marietje Laurens?'

Ik dacht na en rimpelde mijn voorhoofd.
'Een oudere dame. Ze woont aan het Papenpad.'
Ik wist niet eens waar het Papenpad was, dus die Marietje zou ik ook wel niet kennen.
'Marietje is al weken haar kat kwijt. Ik sprak haar vorige week nog en toen vertelde ze erover.'
'Een grijze? Zeker weten?'
'Ja!'
Ik aarzelde. Wat zou ik doen? Ik kon de meester even bellen, maar ik kon ook nog even bij hem langsgaan. Ik had toch niks te doen.
Ik besloot het laatste.

De auto van de meester stond nog voor de deur, dus leek me de kans groot dat hij thuis was.
Ik belde aan, hard en lang. Het zou geweldig zijn als die Marietje inderdaad de eigenares was van Poekie.
Ik probeerde door het matglas van de deur te kijken of ik iets zag bewegen. Ik wilde net voor de tweede keer bellen toen ik een witte vlek dichterbij zag komen. Meester Willem deed open. Hij had een wit T-shirt aan vol verfklodders en ook op zijn neus zat een rode veeg. Hij leek wel een clown. Ik schoot in de lach.
'Zo, Tom!' Hij klonk verrast. 'Ben je daar alweer?'
Ik vertelde wat ik van Gabriël had gehoord. Meester Willem luisterde aandachtig. 'Marietje Laurens?' herhaalde hij. 'En ze woont aan het Papenpad?... Nou joh, kom even binnen. Dan bel ik haar. Want jij bent natuurlijk nieuwsgierig of Poekie inderdaad van haar is.'
Voor de tweede keer die dag volgde ik de meester naar de huiskamer. Ik nam nu iets meer de tijd om de schilderijen in de gang te bekijken. Ze waren echt heel mooi. Kleurrijk. Geheimzinnig. Sommige stelden iets voor, andere niets.

In de kamer zocht meester Willem het telefoonboek.
Naast de eettafel stond een schildersezel met een doek erop. Het was pas half af maar ik kon nu al zien dat het prachtig werd. Die schilderijen in de gang waren vast ook van hem.
Ik voelde een spannend kriebeltje in mijn buik. Meester Willem gebruikte ook veel van dat zure-appeltjes-groen waar ik zelf zo van hou.
Op de achtergrond hoorde ik de meester telefoneren. Ik draaide me om en keek naar Poekie. Ze zat zich uitgebreid te wassen, één achterpoot in de lucht. Ze stopte even, keek mij doordringend aan en likte weer verder. Ik hoopte echt dat we haar baasje hadden gevonden.
'Ze komt eraan!' Meester Willem sloeg het telefoonboek met een klap dicht. 'Die mevrouw Laurens is haar poes inderdaad al een paar weken kwijt. Alle kans dat Poekie van haar is.'
'Heb je gezegd dat er twee jonkies zijn?'
'Ja, da's geen enkel probleem!'
Ik stond nog steeds bij de ezel. Opnieuw keek ik naar het schilderij. 'Wat stelt het voor?'
Meester Willem kwam naast me staan. Hij keek een poosje zwijgend naar het doek terwijl hij zijn hoofd scheef en daarna weer recht hield. 'Dat weet ik nog niet.' Hij legde zijn rechter wijsvinger naast zijn neus zoals hij in de klas ook wel eens deed. 'Dat weet ik meestal pas als ik klaar ben. Het ontstaat tijdens het schilderen. Dat vind ik juist het leuke. Het is een verrassing voor mezelf.'
Dat snapte ik niet. Als ik iets ging tekenen, wist ik altijd van tevoren wat ik zou maken.
'Heb jij ook wel eens iets geschilderd?' Meester Willem keek me belangstellend aan.
Ik vertelde over mijn hobby: meubels beschilderen. Hij begon helemaal te stralen en wilde er alles over weten.

Ik vond het hartstikke leuk dat hij zo reageerde.
Toen werd er gebeld en liep hij naar de voordeur.
'Meester, veeg even langs je neus,' riep ik. 'Er zit rooie verf op. Je lijkt wel een clown!'
Hij lachte bulderend en trok een zakdoek uit zijn broekzak.

Poekie was inderdaad van mevrouw Laurens. Ze heette alleen geen Poekie maar Mies.
Mevrouw Laurens nam moeder en kinderen mee naar huis en was dolblij.
Meester Willem en ik waren ook blij.
Toen ik naar huis fietste floot ik hard en schel.

Hoofdstuk 4

Mama had mij gevraagd de tuinbank te schilderen. Ik was er al dagen mee bezig geweest. Alle planken had ik losgeschroefd en daarna had ik ze heel lang geschuurd totdat ze helemaal glad waren. Ik vind dat zo'n lekker gevoel, zo'n plank die zonder één hobbeltje tussen mijn vingers glijdt. Ik hou ook van de geur die opstijgt wanneer ik hout schuur. Maar het mooiste is altijd het moment waarop ik mijn kwast in de verf doop en de eerste streek zet.

De bank moest geel worden en op de rugleuning zou ik taartjes gaan schilderen. Ik wipte de deksel van de verfpot en roerde de verf. 'Havanna' heette deze kleur, maar ik hield ervan om zelf namen te bedenken voor de verf die ik gebruikte. Bij deze kleur hoefde ik niet lang na te denken. Het was bananengeel. Je zou bijna verwachten dat er ook een bananengeur uit het blik zou opstijgen, maar ik rook alleen maar verf. Terwijl ik schilderde, dacht ik weer aan het mailtje dat ik aan de redactie van de Jeugdpagina had gestuurd. Ze hadden niet teruggemaild. Misschien zou ik ze nog een keer kunnen schrijven; de volgende dag zou de schoolfotograaf komen. Weer had meester Willem iets bijzonders bedacht: het moest geen gewone foto worden, we moesten iets van onszelf laten zien. Op de foto moesten we iets vasthouden wat bij ons hoorde. Voor mij was het wel duidelijk: natuurlijk nam ik een pot verf mee en een kwast.

Ik was benieuwd naar wat de andere kinderen zouden meebrengen. En meester Willem zelf.

Ik vond het wel grappig om te zien wat iedereen de volgende dag mee naar school bracht: er waren best veel dezelfde voorwerpen.

Een paar voetballen, hockeysticks en tennisrackets. Veel computerspelletjes. Suus droeg haar judopak. Boris had een dik boek bij zich. Jarno een schaakbord. Pleun en Tilly balletschoentjes. Spook luisterde naar zijn MP3-speler.
We moesten allemaal wat over onze hobby vertellen. Ik voelde me verlegen. Ik was natuurlijk de enige die het leuk vond om meubels te beschilderen. Maar niemand maakte er een flauwe opmerking over.
Na mij kwam een meisje van wie ik de naam nog steeds niet wist. Ze liet haar viool zien en vertelde dat ze nog maar een half jaar les had en nog niet zo goed kon spelen. Toen ze voor de klas stond, viel de zon precies op haar gezicht en als vanzelf ging ik plotseling rechtop zitten en schoof ik naar het puntje van mijn stoel. Ze had een lichte huid, alsof ze niet vaak buiten kwam. En ze had een opvallend grote mond. Ik geloof niet dat ik eerder een meisje had gezien met zo'n brede mond. Ze lachte niet. Ze keek eerder een beetje droevig. Haar haren waren lang. Af en toe duwde ze een lok achter haar oren die een beetje uitstaken. Het haar had dezelfde kleur als het paardje dat nog niet zolang geleden was geboren in de wei vlak bij het huis van Gabriël. De zon kroop omhoog en raakte het haar aan; veulentjesbruin.
'Wil je niet een stukje spelen, Madieke?' vroeg meester Willem.
Ze schudde het veulentjesbruine haar.
Madieke. De naam klonk als een liedje.
Gek. Ik zat al twee maanden bij haar in de klas en ze was me nog nooit opgevallen.
Hoe was het mogelijk!
Toen ze klaar was met vertellen, liep ze terug naar haar plaats achter in de klas. Lopend door het gangpad passeerde ze mijn tafeltje. Het blaadje dat voor me lag, waaide een beetje op. Ik legde mijn hand erop. Het was alsof Madieke het had aangeraakt en ik voelde ineens het kloppen van mijn hart. Ik draaide me om.

Ik móest gewoon naar haar kijken totdat ze op haar stoel was gaan zitten. En eigenlijk wilde ik nog wel langer kijken, maar gelukkig drong het tot me door dat het raar was om plotseling achterstevoren op mijn stoel te zitten. Met tegenzin draaide ik terug. Mijn hand lag nog steeds op het blaadje en ik aaide erover met mijn duim.

De schoolfotograaf kwam tegen elven. Het was een beetje een chagrijnige man die duidelijk liet merken dat hij het maar niks vond dat onze foto een persoonlijk tintje moest krijgen. Hij duwde ons kortaf op onze plaats; de grootste kinderen achteraan. Ik gluurde tussen mijn oogharen waar Madieke was gebleven. Tot mijn verrassing stond ze naast me. Mijn wangen werden meteen zonnesteekrood en mijn handen voelden klam. Ik zette mijn pot verf even op de grond en wisselde mijn kwast van de ene hand naar de andere.
Meester Willem ging naast de fotograaf staan en bekeek ons keurend.
'Het lijkt mij goed,' zei hij tevreden. 'Volgens mij wordt het een leuke foto op deze manier.'
'Gaat u er nog bij staan?' vroeg de fotograaf grommerig.
'Ja, natuurlijk!' Meester Willem liep naar de groep en kwam naast me staan.
'Meester,' riep Tilly. 'Wat heb je zelf meegebracht? Jij moet ook iets van je hobby's laten zien.'
Iedereen keek naar meester Willem die zijn wenkbrauwen optrok en in zijn krullen graaide. 'Ach ja, wat stom. Ik haal wel even iets uit de klas.'
'Je mag mijn kwast wel,' zei ik. 'Ik heb tóch twee dingen bij me: verf en een kwast.'
'Tom jongen, je bent geweldig!' Willem lachte naar me en nam de kwast van me aan. 'Dank je wel!'

'Schilder jij ook, meester?' vroeg Sanne. Zelf had ze een duikbril op haar hoofd omdat ze op snorkelles zat.
De meester knikte. 'Maar geen meubels,' zei hij.
'Schilderijen?' gokte Samir.
'Mogen wij ze een keer zien?' Pleun zwaaide met haar balletschoentjes.
De mondhoeken van de fotograaf waren steeds verder naar beneden gezakt. 'Kan die foto eindelijk worden gemaakt?' vroeg hij met samengeknepen lippen.
Naast mij plaatste Madieke haar viool tegen haar schouder. Ik pakte mijn pot verf en hield hem voor mijn borst.
Een paar kinderen keken lachend naar meester Willem.
'Vóór je kijken!' zei hij met een knijperig stemmetje.
Nieuwsgierig maar zo onopvallend mogelijk gluurde ik naar hem. Hij had mijn kwast als een snor tussen neus en bovenlip geklemd.
'Say cheese!' riep de fotograaf.
'Cheese!' brulde de klas.
Ik deed niet mee. Ik lachte toch wel. Ik voelde me geweldig: aan de ene kant stond mijn meester en aan de andere kant was Madieke.
Madieke... Madieke... De naam zong in mijn hoofd en liet mijn lippen krullen.

Hoofdstuk 5

De tuinbank was af en zag er geweldig uit. Mama en Gabriël hadden me in alle toonaarden geprezen. Ik zat met een glas sinas en een koek in het gras dromerig voor me uit te staren.
Het voelt zo lekker als je iets moois hebt gemaakt. Als je blij en tevreden bent. Hannibal kwam naar me toe en snuffelde aan mijn vingers. Ik propte de koek in mijn mond en zette het glas naast me neer. Hannibal liet zich gewillig om mijn nek hangen. Ik hoorde hem spinnen en het was alsof het binnen in mij mee spon.
Mama en Gabriël zaten aan een tafeltje onder de kastanjeboom, maar ik bleef liever hier zitten. Tegenover de bank.
'Het is net een schilderij,' had mama gezegd. Dat vond ik zelf ook wel een beetje. De taartjes op de rugleuning waren zo mooi gelukt, je zou er trek van krijgen.
We keken op toen Annemoon met haar fiets aan de hand de tuin in kwam. Ze kwakte hem tegen de muur van de garage en liet haar rugzak ernaast ploffen. 'Alweer een lekke band!' riep ze uit. 'Ik word er niet goed van!'
'Ik ook niet,' antwoordde mama. 'Dat kan toch niet! Dat is de derde keer in een paar weken! Wat spook jij dan uit met die fiets?'
Annemoon begon meteen te ratelen en te stampvoeten. Ze kan zich altijd ontzettend aanstellen. Volgens mij moet ze later bij het toneel gaan, daar hoort ze thuis. Ze liet zich op de tuinbank neervallen zonder er ook maar één seconde naar te kijken.
Ik stopte mijn neus in de vacht van Hannibal. Mama zegt altijd dat mijn zus aan het puberen is. Als dat waar is, pubert ze al haar hele leven. Ze is het tegenovergestelde van mij. Ze maakt altijd een hoop lawaai. Ze heeft altijd het hoogste woord en ze maakt scènes om niks.

'Ik plak die band zo meteen wel,' beloofde Gabriël goedig.
'Ik vind eigenlijk dat Annemoon dat zelf maar eens moet leren,' zei mama.
Meteen kwam Annemoon van de bank. 'Oh, maar ik heb héél veel huiswerk hoor!' Snel liep ze naar haar rugzak en zwaaide hem met een overdreven zucht over haar schouder.
Jammer dat meester Willem nog geen huiswerk opgeeft. Huiswerk is zo'n goeie smoes als je ergens geen zin in hebt!

Gabriël repareerde de band en ik keek toe. Hannibal hing nog steeds om mijn nek en de zon scheen lekker warm in mijn gezicht. Ik hou van de zon. Ik bedacht ineens dat het ook leuk zou zijn om de zon ergens op te schilderen. Ik keek om me heen en mijn blik bleef meteen steken bij de garagedeur.
'Weet je wat ik vroeger altijd deed met oude binnenbanden?' vroeg Gabriël. Hij had de binnenband van Annemoons fiets in een teiltje water gelegd en keek of er ergens luchtbelletjes opborrelden. 'Hebbes!' Hij wachtte mijn antwoord niet af. 'Daar maakten we balletjes van. Keiharde balletjes.'
Ik keek hem vragend aan. Gabriël maakte de band zorgvuldig droog en hield zijn vinger bij het gaatje. 'Nooit gedaan?' vroeg hij. 'Je knipt de band in ringen zodat je brede elastieken krijgt. Die elastieken trek je over elkaar heen, heel gemakkelijk.'
Ik kon me er niks bij voorstellen. Gabriël zag het blijkbaar aan mijn gezicht. 'Ik maak er wel een keer een voor je,' beloofde hij.
Het grind op het tuinpad knerpte en we zagen hoe een oude mevrouw naar ons toeliep. Ik herkende haar meteen, maar kon niet op haar naam komen. 'Marietje!' zei Gabriël.
Ik dacht even dat hij 'Madieke' zei en mijn hart maakte een rare duikel.
'Dag Gabriël,' zei ze met een stralende glimlach. Daarna keek ze naar mij en gaf ze me een hand. 'Dag Tom. Je krijgt de groeten

van Mies en van Ernie en Bert. Het gaat heel goed met hen.' Ze aaide Hannibal. 'Ach,' zei ze vertederd. 'Dat is ook een lieverd!'
Ik voelde me verlegen worden en wist niks te zeggen. Hannibal spon zo hard dat het leek of hij een wereldrecord moest verbeteren. Gelukkig kwam mama er ook bij staan. Marietje stelde zich voor. 'Ik kwam uw zoon nog even een kleinigheidje brengen,' vertelde ze. 'Een bedankje, want dankzij hem heb ik mijn poes terug. Hij heeft haar gevonden in de kelder van de school.'
Ik dacht aan Spook. 'Dat was toeval hoor,' zei ik met een brandweerrode kop. 'En ik was niet alleen. Er was nog een jongen bij... Sp... eh Sietse.'
Marietje knikte. 'Ik heb het gehoord. En toeval of niet, ik ben jullie heel dankbaar. Van Gabriël hoorde ik dat jij hier woont, in het huis met de theetuin. Dus ik dacht dan ga ik je even een beloning brengen.'
'O, maar dat is toch helemaal niet nodig,' zei mijn moeder.
Gelukkig deed Marietje alsof ze niets hoorde. Ze stopte me een briefje van vijf euro in mijn hand. 'En wil je deze dan aan die andere jongen geven? Aan Sietse?'
Ik nam het andere biljet ook aan en hoopte dat mijn moeder zich er verder niet mee zou bemoeien. Dat deed ze niet maar ze vroeg wel of Marietje zin had in een kopje thee en een stukje kersencake. En zo kwam van het een het ander. Marietje zag namelijk mijn pas geverfde tuinbank en vond hem helemaal geweldig. 'Wat leuk!' riep ze uit. 'Zoiets heb ik nog nooit gezien!'
Mama vertelde dat ik die had beschilderd en toen liet ze Marietje ook nog de tafeltjes zien en het theetuinbord dat aan de kastanjeboom hing. Het was dat Gabriël geruststellend naar me knipoogde, anders was ik naar binnen gerend.
Met mijn gezicht half verstopt in de vacht van Hannibal liet ik alle complimenten over me heenkomen.
En toen vroeg Marietje mij of ik ook in opdracht schilderde.

Hoofdstuk 6

Ik fietste met Marietje mee naar het Papenpad. Haar huis staat aan de rand van ons dorp waar het bos begint. Het is een soort Hans en Grietje huis. Met luiken voor de ramen, een ouderwetse trekbel en naast de voordeur hangt een klomp met een geranium erin.
We gingen achterom. Daar is een tuin vol bloemen. Een vijvertje met een vissende kabouter en een stenen kikker die water spuit. In de keukendeur zit een kattenluikje.
'Kom binnen,' zei Marietje. Via de keukendeur kwamen we in de kamer en daar lag Mies samen met Ernie en Bert in een mandje.
'Ze zijn al flink gegroeid hè?' vroeg Marietje.
Ik ging op mijn hurken naast de mand zitten. Marietje had gelijk: de twee jonkies waren groter geworden. Mies zag er ook beter uit. Nog steeds te mager maar haar vel glansde.
'Kijk, dit is het kastje waar ik over vertelde,' wees Marietje. Het was donkerbruin en er zaten laatjes in. Er stond een foto op van een man met pretogen. Hij had achterover gekamd golvend haar en droeg een jasje met een bloem in het knoopsgat.
'En dit is nou Pieter,' zei Marietje. Het trilde een beetje bij haar mond. Ze pakte de foto op. 'We waren veertig jaar getrouwd. Toen is deze foto gemaakt.'
Pieter was al drie jaar dood. Hij had een vlinderverzameling gehad en daarom had Marietje gevraagd of ik het kastje met vlinders kon beschilderen.
'Wat denk je ervan?' vroeg ze terwijl ze de foto terugzette. 'Gaat het je lukken?'
Vlinders schilderen leek me leuk. Ik vond alleen het kastje niet zo mooi. 'Moet het bruin blijven?' vroeg ik. 'Of mag ik het ook een andere kleur geven?'

Marietje aarzelde even. 'Denk je dat het mooier is om het helemáál te verven?'
Ik knikte. 'Als het kastje van mezelf zou zijn, schilderde ik het lichtblauw met witte wolken. En daar tussen zou ik dan de vlinders schilderen.'
'Een wolkenlucht met vlinders... Ik denk dat Pieter dat prachtig zou hebben gevonden!' Er kwam een schittering in Marietjes ogen. 'Geweldig,' zei ze zacht. 'Echt geweldig!'
Ik kon wel zien hoe blij ze was en zelf had ik ook zin om het kastje op te knappen.
Marietje greep mijn arm. 'Wil je er in ieder geval een koninginnenpage op schilderen?' vroeg ze. 'Dat was Pieters lievelingsvlinder.'
Ik had geen idee hoe zo'n beest eruitzag, maar ze liet me de vlinderkastjes van haar man zien. Ik vond het wel zielig, al die opgeprikte dieren. Maar het was ook heel mooi om ze te bekijken en sommige hadden prachtige kleuren. Marietje wist er ook veel over te vertellen en ik begon haar steeds aardiger te vinden. Ik heb zelf geen oma's meer. Ik zou Marietje best als oma willen hebben.
Voordat ik er erg in had was het al hartstikke laat. Ik had allang thuis moeten zijn voor het eten. Ik had het vermoeden dat ik wel flink op mijn kop zou krijgen want mama is altijd heel precies over het tijdstip waarop we aan tafel gaan.
Ik jakkerde naar huis, voorbereid op het nodige gemopper. Maar ook met een hoofd waarin vlinders rond dwarrelden en met vingers die kriebelden. Wie had dat gedacht: een opdracht. En dan nog wel zo'n leuke!

Thuis zat Annemoon in haar eentje aan tafel te eten. Haar bord was al bijna leeg en terwijl ze at, bladerde ze in een of ander meidenblad.

'Zijn papa en mama er niet?' Ik hijgde van het snelle fietsen en keek naar de klok boven de deur. Ik was echt behoorlijk laat.
Annemoon sloeg een bladzijde om. 'Mama is boven, was opvouwen geloof ik. En papa is zoek. Ik ben alvast gaan eten want ik moet zo naar jazzdance.'
Ze schraapte de laatste doperwtjes bij elkaar en stopte ze in haar mond.
'Hoezo: papa is zoek?' Nu ik eten rook, voelde ik ook dat mijn maag knorde. Ik wilde het liefst meteen aan tafel schuiven.
Annemoon haalde haar schouders op. ''k Weet niet. Nog niet terug van hardlopen, geloof ik. Moet je mama vragen.' Ze schoof haar stoel naar achteren. 'Ik pak mijn spullen en dan ben ik weg.'
Met een paar sprongen rende ik de trap op. Mama was in de badkamer waar ze een stapel handdoeken in de kast legde. 'Zo, ben je daar eindelijk?' Er was weinig meer over van die vrolijke, trotse moeder die ze 's middags was geweest.
'Sorry,' zei ik. 'Het duurde allemaal wat langer dan ik had verwacht. Ik ga vlinders schilderen op het kastje van Marietje. Leuk hè.'
'Je bent bijna een uur te laat!'
'Ik zei toch sorry! Waar is papa? Annemoon zei dat papa er ook nog niet is.'
Mama keek op haar horloge. Daarna veegde ze een pluk haar weg uit haar gezicht. 'Nee, verdorie, ik snap er niks van. Nou, kom mee naar beneden. Dan gaan wij ook eten. Ik heb geen zin om nog langer te wachten.'

Mama warmde het eten op in de magnetron. Annemoon had haar eigen bord in de gootsteen gezet en was al vertrokken.
Terwijl we aan tafel zaten te eten, keek mama steeds naar buiten.
'Ik snap er niets van,' zei ze weer. 'Ik heb al zo vaak gezegd, neem je mobiel mee als je gaat hardlopen.'

Ongeveer een half jaar geleden is mijn vader begonnen met hardlopen. Hij kwam vaak moe thuis van zijn werk en werd dik. Op een dag zat een van zijn overhemden zo strak dat er een knoopje afsprong. Toen is hij gaan hardlopen. In het begin kon hij niet langer dan vijf minuten lopen, maar nu haalt hij al bijna een half uur. Hij is apetrots op zichzelf. Maar het vervelende is dat hij nu iedereen probeert over te halen om óók te gaan lopen. Mama bijvoorbeeld. En Annemoon en mij. Nou zou het voor mama niet verkeerd zijn want die is echt te dik. Wat wil je? Ze proeft iedere dag van haar eigen taarten. Maar Annemoon en ik hebben het niet nodig. Wij zijn niet dik en ook niet moe.
Mama keek voor de zoveelste keer op haar horloge. 'Ik vind het echt niet meer normaal,' zei ze. 'Er is vast iets gebeurd.'
'Wat zou er gebeurd moeten zijn?' vroeg ik tussen twee happen door.
Mama stond op, liep naar het raam en tuurde de straat uit. 'Misschien is hij niet goed geworden,' zei ze. 'Dat kan toch. Of hij kan een blessure hebben opgelopen. Als papa er over een kwartier nog niet is, ga ik hem zoeken.'
Ze kwam weer tegenover me zitten en at langzaam verder. 'Wat vertelde je nou over een kastje met vlinders?'
Ik deed verslag van mijn bezoek aan Marietje maar ik merkte wel dat mama er niet bij was met haar hoofd. Toen ik midden in een zin ophield, had ze het niet eens in de gaten.
'Waar wil je papa gaan zoeken?' vroeg ik.
Weer keek ze op haar horloge. 'In het Papenbos? Daar loopt hij toch meestal? Of gaat hij tegenwoordig ergens anders heen? Ik heb geen flauw idee.'
We besloten allebei een stuk van het bos voor onze rekening te nemen en mama legde een briefje op tafel voor het geval dat papa in de tussentijd thuis zou komen.
Het eerste stukje fietsten mama en ik samen, maar vlak bij

Marietjes huis sloeg ik af. Mama zou vanaf de andere kant het bos inrijden. Ik vond het nogal overdreven om papa te gaan zoeken. Misschien was hij gewoon iemand tegengekomen met wie hij was blijven praten. Maar ik vond het niet echt erg om nog een fietstochtje te maken; zo kon ik ook mooi nadenken over het kastje. Ik had zo'n zin om eraan te beginnen! Ik zou het kastje op dezelfde manier aanpakken als de tuinbank. Ik zou het eerst helemaal kaal schuren. Daarna zou ik het in de grondverf zetten en dan kon het echte schilderwerk beginnen.

Ik keek omhoog. De lucht was mooi blauw en er dreven witte wollige wolkjes over. Jammer dat ik geen tekenblokje bij me had; het waren mooie wolken om op het kastje te schilderen. Ik moest ook voorbeelden hebben van vlinders. Bij Marietje had ik er natuurlijk al veel gezien, maar ik wilde ook op internet kijken - dan kon ik wat plaatjes uitprinten.

Ik floot zachtjes tussen mijn tanden en vergat helemaal waarom ik daar door het bos fietste. Pas toen een man in een rood shirt me hijgend en puffend tegemoet liep, moest ik weer aan papa denken. Wat had papa aan? Meestal iets zwarts volgens mij. Ik vind die mensen die gaan hardlopen en dan ineens een knalgeel apenpakkie aantrekken verschrikkelijk. Of nog erger: glimmend roze. Zou je daarmee harder kunnen lopen of zo? Gelukkig deed mijn vader daar niet aan mee.

Nadat ik alle bospaden had afgespeurd, had ik vier hardlopers gezien maar mijn vader nog steeds niet gevonden. Het was intussen bijna half acht. Ik besloot terug te gaan naar huis. Misschien had mama hem gezien of was hij gewoon zelf naar huis gekomen en stond hij nu zingend onder de douche.

Toen ik onze straat in fietste, zag ik een auto op ons tuinpad staan die ik meteen herkende: de auto van meester Willem. Terwijl ik er langsreed, keek ik door het huiskamerraam. Ik zag mijn vader

zitten. Ook mijn moeder was alweer thuis. Ze stak een hand naar me op en lachte. Snel zette ik mijn fiets weg. Ik was ontzettend benieuwd waarom meester Willem bij ons was en haastte me via de keukendeur naar binnen. Iedereen keek naar me toen ik de kamer inkwam. Meester Willem droeg een trainingspak en sportschoenen. Zijn krullen plakten vochtig tegen zijn voorhoofd en zijn gezicht glom. Hij wees met een zwierig gebaar naar mijn vader. 'Kijk eens Tom... Daar zit het verloren schaap!'
Papa grijnsde een beetje beschaamd. Zijn rechterbeen lag voor hem uitgestrekt op een krukje. Zijn voet was bloot en de enkel was ingetaped.
'Wat heb je gedaan?' vroeg ik terwijl ik naast hem neerplofte op de bank. Trix kwam met bedachtzame pasjes naar me toe, gaf kopjes tegen mijn broekspijp en sprong op mijn schoot. Met één vinger aaide ik over haar rechtopstaande staart.
Papa trok zijn wenkbrauwen op. 'Ik weet het niet precies. Een misstap gemaakt of zo. Ik kon in ieder geval niet meer verder lopen en ik was een eind van huis. En het duurde wel een half uur voordat er iemand langskwam.
'Meester Willem?' vroeg ik verbaasd.
Die knikte en sloeg zichzelf lachend op de borst. 'Ik draai er mijn hand niet voor om: zielige katten, zielige vaders... Willem redt alles en iedereen uit de nood!'
Ik vond het super. Het was net of meester Willem iedere dag een treetje hoger op mijn ladder klom.
'Enne... hoe...?' Ik wees naar mijn vaders voet.
Meester Willem vertelde verder. 'Ik heb mijn auto opgehaald en daarna je vader naar de eerste hulp gebracht. Het bleek allemaal mee te vallen. Niets gebroken. Niet eens gekneusd. Gewoon een paar dagen rust houden en je vader loopt weer als een kievit.'
'Nou...' zei mijn vader met een bedenkelijk gezicht.
Meester Willem legde een vinger langs zijn neus zoals hij wel

vaker deed. Hij schudde zijn hoofd. 'Nee, da's onzin. Je moet het weer voorzichtig opbouwen. Ik heb zelf...' Hij begon een verhaal over een blessure die hij ooit had opgelopen. Mijn blik kruiste die van mama.
Hier hadden twee hardlopers elkaar gevonden.

Hoofdstuk 7

Madieke. Sinds de schoolfoto was gemaakt, zat ze in mijn kop. Dat was leuk en vervelend tegelijk. Het was leuk omdat het leek alsof ik voortdurend afspraakjes met haar had. Ze wandelde steeds mijn hoofd binnen. Dan praatte ze met me. En dan lachte ze naar me. Een beetje droef maar ook lief. Ze was er vaak: 's avonds als ik in bed lag. Tijdens het schilderen. Als ik naar school fietste. Maar ook in de klas. Eigenlijk was ze er dan twee keer: een keer echt en een keer in mijn hoofd.
In het echt zei ze niets tegen me. Ze was meestal samen met haar vriendinnen. Maar ook dan was ze stil. Ik keek vaak naar haar als ze met Tilly en Pleun op het schoolplein was. Meestal leunde ze met haar rug tegen de muur van de fietsenstalling. Haar handen in de zakken van haar jas, haar schouders iets opgetrokken.
Soms dacht ik dat ze verdrietig was. In mijn hoofd durfde ik dat te vragen. In mijn hoofd durfde ik haar te troosten. In mijn hoofd...
Ik zuchtte diep. Ineens merkte ik dat ik in de klas zat. Meester Willem stond voor me. Hij keek me onderzoekend aan. Zijn leesbril stond op het puntje van zijn neus. 'Tom,' zei hij zacht. 'Blijf jij straks even na?'
Verschrikt keek ik naar mijn rekenblaadje. Het lag ondersteboven voor me op tafel en ik had nog niet één som gemaakt. Met een ruk draaide ik het om.
Toen iedereen de klas uit was, mocht ik nog even mijn sommen afmaken. Ik ben niet echt goed op school. En al helemaal niet in rekenen.
Meester Willem zat achter zijn bureau werk na te kijken. Ik deed mijn best maar schoot niet op. Ik maakte inktvegen op het papier

en toen ik ze weg probeerde te wrijven, maakte ik het alleen maar erger. Mijn pen viel van mijn tafel en rolde over de vloer. Ik stond op.
'Tom, kom eens joh.' Meester Willem maakte een beweging met zijn hoofd. 'Breng je blaadje maar mee.'
'Ik ben nog niet klaar,' zei ik.
'Maakt niet uit.'
Ik legde mijn rekenblad voor hem neer en bleef staan. Door het raam zag ik het schoolplein, dat bijna helemaal leeg was. Een moeder met een kleuter liep haastig naar de poort. Een vogel pikte in een boterham. Een wit papiertje waaide door de lucht. Een vergeten gymtas lag bij het klimrek.
'Dat gaat niet helemaal goed hè.'
Ik had moeite om mijn gedachten weer terug te sturen naar mijn rekenwerk.
Meester Willem trok een la van zijn bureau open en haalde er nog wat rekenblaadjes uit. Ik herkende mijn handschrift en schrok van de rode strepen die ik overal onder de uitkomsten zag.
'Vind je rekenen moeilijk?' vroeg de meester.
Ik knikte beduusd. Had ik zoveel fouten gemaakt? Hoe was het mogelijk!
Meester Willem gaf me een speels duwtje tegen mijn arm. 'Dromer,' zei hij. Hij zei het op een speciale manier. Helemaal niet boos of zo. Het leek net of hij het wel leuk vond.
'Het is niet verkeerd om te dromen,' zei hij. 'Dromen kleuren je leven. Maar je moet wel zorgen dat je op het juiste moment weer wakker bent. Anders loop je van alles mis. En dan krijgen we dit...' Hij tikte met een vinger tegen het papier.
Opnieuw schrok ik van alle rode strepen.
Hij bekeek me even bedachtzaam. 'Vind je rekenen wel leuk?'
Ik schudde mijn hoofd.
Zijn blik gleed weer over de sommen. 'Je maakt veel dezelfde fou-

ten. Slordigheidfoutjes, maar naar mijn idee mis je ook inzicht.'
'Ik snap niks van breuken,' gaf ik toe.
'En waarom zeg je dat dan niet?'
Ik werd rood onder zijn manier van kijken. Ik had ineens het gevoel dat ik hem flink teleurgesteld had.
'Ik eet je niet op hoor. Ik ben er om je te helpen, dat weet je toch.'
Ik boog mijn hoofd en knipperde met mijn ogen. Ik voelde zijn hand op mijn schouder en na een tijdje ging mijn hoofd weer omhoog.
'Ik wil wel graag dat je straks door kunt naar groep acht.' Hij gaf me nog een kneepje en liet me toen los. 'Daar gaan we samen aan werken, goed?'
Ik knikte.
'Ik zal je zo nu en dan wat extra helpen. Wil je dat?'
Natuurlijk wilde ik dat! Later wil ik graag naar de kunstacademie. Daar heb je Havo voor nodig.
We spraken af dat ik zo nu en dan zou nablijven.
'Dan zijn die sommen straks een fluitje van een cent,' beloofde meester Willem.
Op zijn bureau lag een grote envelop van de schoolfotograaf. Meester Willem trok hem naar zich toe. 'Vanmiddag deel ik de foto's uit. Jij staat er heel leuk op. Zien?'
Ik was hartstikke benieuwd!
Er was niet alleen een klassenfoto gemaakt, maar ook een foto van elk kind apart. De mijne lag bovenop. Ik zag mezelf: mijn sproetenkop met bril en rode bos haar. Ik stond er inderdaad goed op.
'Kijk... De klassenfoto.' Meester Willem schoof hem naar me toe. Mijn hart huppelde: Madieke naast mij!
'Mag ik hem al meenemen?'
De meester schudde zijn hoofd. 'Vanmiddag! Ga nou maar gauw naar huis, het is etenstijd. Hoe is het met je vaders voet?'
'Goed!'

'Mooi! Eet smakelijk en tot straks.' Meester Willem haalde zijn broodtrommel uit zijn tas.
Ik liep naar de deur. Ik had moeite om gewoon te lopen, zo blij voelde ik me. Die middag zou ik een foto hebben waar Madieke op stond. En meester Willem zou me helpen met die stomme breuken!

Toen ik thuiskwam, stak Het Nieuwsblad uit de brievenbus. Het was die dag de laatste vrijdag van de maand. Ik was benieuwd wie er dit keer was gekozen als leukste juf of meester en nam de krant mee naar binnen.
Mama had de tafel al gedekt. 'Dag Tom. Wat ben je laat. Nu geen krant lezen, doe dat straks maar.'
Met tegenzin mikte ik de krant op een stoel.

Van: **Tom Hoogstraten**
Aan: **redactiejeugdpagina@hetnieuwsblad.nl**

Beste redactie,

Deze maand is mijn meester niet gekozen als Meester van de Maand. Dat vind ik niet leuk! Want mijn meester is echt de leukste en hij verdient de beker! Als u niet meer weet wie ik bedoel, het gaat om meester Willem van groep zeven van Het Kofschip.
Toen mijn vader laatst in het bos zijn enkel had verzwikt tijdens het hardlopen, heeft meester Willem hem gevonden (Mijn vader zat daar al een half uur!). Mijn meester heeft mijn vader naar de eerste hulp gebracht en daarna naar huis. Mijn meester is niet alleen aardig voor kinderen maar ook voor grote mensen (en voor dieren maar dat wist u al).

Breng dus s.v.p. de volgende keer de beker naar meester Willem van Hout, groep zeven van Het Kofschip. Goudsbloemlaan 18.

Hoogachtend,
Tom Hoogstraten

Hoofdstuk 8

Het kastje van Marietje stond in onze garage. Ze had het een paar dagen geleden gebracht en ik had de zijkanten al geschuurd. Ik had wel in de gaten dat het een tijdrovend karwei zou worden. Het kastje had een heleboel laatjes. Op die laatjes zaten knopjes, die wilde ik er eerst allemaal afschroeven voordat ik verder zou gaan.

Vanuit de tuin klonk gerinkel van kopjes en geroezemoes van stemmen. Dankzij het mooie weer waren er iedere middag bezoekers. Het nadeel was dat ik van mijn moeder niet buiten mocht schuren want ze was bang dat haar gasten zaagsel in hun taart zouden krijgen.

Ik floot terwijl ik bezig was en schroefde de knopjes los. Ik tilde de laatjes uit de kast, dat was makkelijker werken.

Ondertussen droomde ik over Madieke. In mijn hoofd herhaalde ik steeds haar naam. Ik zag haar veulentjesbruine haar, die brede mond, die droeve blik.

Ik werd lekker warm van binnen terwijl mijn vingers over het steeds gladder wordende hout streken en ik af en toe hoestte omdat er stofdeeltjes in mijn keel kropen.

Madieke, Madieke, Madieke.

Toen ik het laatste laatje uit het kastje tilde, viel er iets wits op de grond. Het was een envelop. Ik zette het laatje tegen de andere en raapte de envelop op. Er stond niets op. Ik draaide hem om. Hij was open. Ik aarzelde even maar ik was zo nieuwsgierig, ik móest kijken wat erin zat. Het was een brief. Het velletje papier was dichtbeschreven. 'Mijn liefste' las ik. Mijn blik gleed naar beneden. Het was een brief van Pieter aan Marietje. Een liefdesbrief. Ik stikte van nieuwsgierigheid maar stopte hem toch terug in de envelop.

Een poosje bleef ik ermee in mijn handen staan.
Ik vond het wel erg moeilijk om de brief niet opnieuw tevoorschijn te halen. Het leek wel of hij door de envelop heen gloeide.
Ik legde hem terug in de la waar hij uitkwam en pakte mijn schuurpapier. Ik schuurde het bovenblad van het kastje.
Zou Marietje weten dat die brief nog in het laatje zat? Vast niet.
Ze had het kastje leeggemaakt. Die brief had ze natuurlijk over het hoofd gezien, hij stond rechtop tegen de achterste plank.
Ik schuurde verder maar het ging niet lekker meer. Ik besloot maar even bij Marietje langs te gaan om de brief terug te brengen.

'Wat attent van je,' zei Marietje. Ze was in de tuin achter haar huis aan het werk. Ze droeg groene rubberlaarzen die volgens mij een paar maten te groot waren. Om haar heen hing de geur van pas gemaaid gras.
'Even kijken!' Ze haalde de brief uit de envelop en ik zag haar snel een paar regels lezen. Haar huid die wit en rimpelig was, kleurde roze. Frambozenpuddingroze. 'Van Pieter!' zei ze en ze keek me aan.
'Ik heb hem niet gelezen,' zei ik en natuurlijk kreeg ik een brandweerkop. Waarna ik 'Echt niet!' zei en nog veel rooier werd.
Marietje schudde haar hoofd en glimlachte. 'Wil je een ijsje?' vroeg ze. 'Voor de moeite? Goh, een brief van Pieter! Dat ik die in dat kastje heb laten zitten! Ik heb nog veel meer brieven van hem. Maar die zitten allemaal bij elkaar in een doos.'
We gingen aan haar tuintafel zitten, allebei met een waterijsje. Ze had de brief voor zich op tafel gelegd, haar hand er bovenop alsof ze bang was dat hij weg zou waaien.
'Pieter schreef me altijd brieven,' zei ze. 'Als hij op reis was voor zijn werk. Maar ook als er iets was dat hij niet kon zeggen.'
Ik keek van haar weg. Naar de bloemen, en de bijen die er boven gonsden. Naar een lieveheersbeestje dat heel even op de leuning

van mijn stoel neerstreek. Naar een vliegtuig dat overvloog en een rafelige witte streep trok.
Zo'n oud mens en dan zat ze zo verliefd te praten! En dan ook nog over een man die dood was!
Ik probeerde mijn ijsje snel op te likken.
Mijn gedachten gingen weer naar Madieke. Zou ik Madieke een brief durven sturen? Zou ik daarin kunnen schrijven wat ik niet durfde te zeggen? En zou ze hem dan haar hele leven bewaren? Totdat ze wit en rimpelig was?
Toen ik naar huis fietste zag ik Spook. Van onder zijn muts kronkelden de snoertjes van de koptelefoon van zijn MP3-speler. Hij slenterde met zijn handen in zijn zakken, zijn blik gericht op de grond. 'Hoi!' riep ik. Hij hoorde me niet.
Ik aarzelde of ik zou stoppen of zou doorfietsen. Een paar dagen geleden had ik hem de vijf euro van Marietje gegeven. Hij had alleen maar 'bedankt' gezegd en het geld in zijn zak gestopt.
Ik besloot door te rijden. Ik wilde weer verder met het kastje.

Toen ik thuiskwam, ging ik eerst naar mijn kamer. Ik wilde nog even naar de klassenfoto kijken, en dan natuurlijk vooral naar Madieke.
Ik ging bij het raam staan, zodat het licht op haar gezicht viel. Ik had mijn vergrootglas gepakt en zo stond ik minutenlang te kijken. Ook op de foto lachte ze niet. Dat wil zeggen: haar mond zei 'cheese' maar haar ogen deden niet mee. Er moest iets aan de hand zijn. Waarom zou ze er anders zo treurig uitzien?
Ik zette de foto terug op mijn boekenplank. Ik wilde weer naar beneden gaan. Uit de kamer van Annemoon klonk onderdrukt gelach. Nieuwsgierig bleef ik op de drempel staan. Juist op dat moment vloog haar kamerdeur open. Met gloeiende wangen en slordige haren stormde ze de overloop op, een lange blonde jongen met zich meetrekkend. Annemoon schrok toen ze me zag.

De jongen keek me grijnzend aan en zei: 'Hoi!'
'Je houdt je mond hoor!' beet Annemoon me toe. 'O wee als je iets tegen mama vertelt!'
Snel liepen ze de trap af, een stuk rustiger nu en nog steeds hand in hand.
Dat was natuurlijk vrijer nummer drie! Ik snapte niet wat die jongens allemaal in mijn zus zagen!
Ik roffelde achter hen aan de trap af en ging weer naar de schuur. Vlak naast Marietjes kastje stond een kistje. Ik ging erop zitten en staarde een hele poos voor me uit. Denkend aan de brieven die Marietje kreeg van haar Pieter. Denkend aan Annemoon die het ene vriendje had na het andere.
En denkend aan Madieke. Madieke. Madieke.
Oh, ik was vast verliefd.

Hoofdstuk 9

De volgende dag gebeurde er iets waar ik toen nog helemaal niets van begreep. Als ik er nu aan terugdenk, snap ik niet dat er op dat moment geen alarmbelletje bij me ging rinkelen. Ik had echt een bord voor mijn kop. Nou moet ik erbij vertellen dat ik die middag ook ontzettend zat te balen want ik had mijn rekenwerk teruggekregen en het stond weer vol rooie strepen. Ik was er erg van geschrokken. Op mijn vorige school was ik ook geen ster in rekenen, maar zo weinig als ik er tegenwoordig van terechtbracht! Meester Willem had me al een keer extra uitleg gegeven maar blijkbaar had dat nog niets geholpen. Ik zat dus een beetje moedeloos onderuit gezakt op mijn stoel toen de meester opstond en Spook aankeek. 'Sietse, het bord en de aandacht zijn voor jou. Kom maar naar voren.' Zelf pakte hij zijn aantekenboekje en ging achter in de klas zitten.
Dinsdagmiddag was bij ons altijd spreekbeurtenmiddag. Spook kwam langzaam overeind en liep met gebogen hoofd naar voren. Hij had maar weinig bij zich: één vel papier en een cd. Meestal nemen kinderen heel veel spullen mee om tijdens hun spreekbeurt te laten zien.
Spook legde het papier en de cd op de tafel van de meester en ging voor de klas staan. Nog steeds met gebogen hoofd en nu ook met de handen in de zakken. Het werd plotseling heel stil in de klas. Het was ook vreemd zoals Spook daar stond. Hij straalde iets uit waar ik kippenvel van kreeg. Ik staarde hem afwachtend aan.
'Denk eens aan je houding,' klonk de stem van meester Willem van achter uit de klas.
Spook keek heel even op, toen gleed zijn blik weer af. Alsof hij niemand wilde zien.

'Ik doe mijn spreekbeurt over de rap,' zei hij toonloos.
'Harder!' riep Samir. 'Ik versta er niks van!'
Spook haalde zijn handen uit zijn zakken en klemde ze om de rugleuning van de stoel vóór hem. 'Ik doe mijn spreekbeurt over de rap,' zei hij opnieuw. En dit keer sprak hij zo luid en duidelijk dat er hier en daar gegiecheld werd.
'De rap,' begon Spook en hij vertelde over het ontstaan van de rap, de bedoeling ervan en hij noemde namen van beroemde rappers. Hij liet ook wat fragmenten horen. Het was allemaal niet zo boeiend. Hij keek nog steeds de klas niet in en raffelde zijn verhaal af. Ik had nog nooit zo'n slechte spreekbeurt gehoord.
Ineens ging zijn hoofd omhoog. 'Ik heb zelf ook een rap gemaakt,' zei hij, 'en die wil ik jullie laten horen.'
Ik ging rechtop zitten. Ook de rest van de klas was benieuwd, merkte ik. Iedereen ging verzitten en Spook had plotseling de volle aandacht. Hij kuchte even, pakte het vel papier en begon:

'Jep, jep, jep,
dit is de vieze ventjes rap.
Je hebt zo van die mannen,
met blinkend witte tanden
maar met vuile vieze handen
die hele gore dingen doen.
Jep, jep, jep.
Je hebt zo van die mannen,
je kunt ze niet vertrouwen.
Het zal ze nog berouwen
dat ze gore dingen doen.
Jep, jep, jep,
Dit is de vieze ventjes rap.'

In de klas werd gelachen. Samir en Jarno deden meteen mee: 'Dit is de vieze ventjes rap. Jep, jep, jep.'

'Ja! Stilte!' viel meester Willem ongewoon fel uit. 'Sietse, ben je klaar?'
Spook knikte, pakte zijn cd en liep naar zijn plaats.
'Kunnen we geen vragen stellen?' vroeg Tilly verbaasd.
Spook was al gaan zitten, zijn blik was strak op zijn tafelblad gericht.
Ik had Spook altijd al een beetje apart gevonden maar dit was natuurlijk wel heel vreemd. Waarom deed hij zo? Die rap vond ik trouwens hartstikke leuk al snapte ik niet wat hij ermee bedoelde.
'Goed Sietse, dank je wel. Je krijgt van mij een voldoende.'
'We mochten helemaal geen vragen stellen en hij keek de klas niet in!' De wangen van Pleun waren rood van verontwaardiging. 'Ik vind het onvoldoende!'
'Deze keer bepaal ík het cijfer en verder geen gezeur.' De meester noteerde iets in zijn aantekenboekje en perste zijn lippen tot een dunne streep. 'Taalboeken!' zei hij kortaf.
Zo had ik hem nog nooit meegemaakt. Ik hoopte dat hij weer gauw normaal zou doen.

De sfeer in de klas bleef raar die middag. Ik was dan ook blij toen het kwart over drie was en ik naar huis kon.
In de gang hoorde ik flarden van de rap van Spook. Jep, jep, jep... Het was ook in míjn hoofd blijven hangen. Ik keek om me heen of ik Spook ergens zag. Ik wilde iets aardigs tegen hem zeggen. Ik vond het dapper van hem dat hij die rap had gedaan. Zelf zou ik dat nooit gedurfd hebben.
Ik zag hem op zijn fiets weg racen. Het leek wel of hij iedereen uit de weg ging. Ik schrok me gek toen ik zag dat hij bijna door een auto werd geschept. Slingerend, voorovergebogen over zijn stuur, reed hij verder.
Ik kwam tegelijk met Samir bij het fietsenhok. Die knipte met zijn vingers en lachte. 'Jep, jep, jep, dit is de vieze ventjes rap.' Hij

stootte me aan. 'Hé Tom, ga je mee voetballen?'
Ik schudde mijn hoofd. Ik wilde aan het kastje van Marietje verder werken. Ik hield trouwens niet eens van voetballen.
Samir was al naar iemand anders gelopen toen ik bedacht dat ik meester Willem nog iets moest geven van mijn vader. Het was een tijdschrift over hardlopen, het zat al de hele dag in mijn rugzak.
Ik besloot terug te gaan en ging de school weer in. Ik liep langs de kamer van de juffen en meesters. De deur stond open. Ik keek even binnen. Ik zag twee juffen uit de lagere groepen, verder niemand. Ik dacht dat meester Willem dan nog wel in de klas zou zijn en liep door. Ik gaf een snelle roffel op de deur en stapte meteen naar binnen. Ik schrok: meester Willem zat op een stoel dicht naast Madieke. Ze huilde met verdrietige snikken. Zijn arm lag om haar schouder. Ze keken allebei op. Madieke met een wit gezicht en rode natte ogen. Ik kon geen woord uitbrengen.
'Tom?' Meester Willem liet Madieke los en stond op. 'Wat is er?'
'Ik...' Toen wist ik ineens weer waarom ik was teruggekomen. Ik haalde het tijdschrift te voorschijn. 'Dit eh... moest ik, ik moest... Van mijn vader...' Ik kon alleen maar wat hakkelen.
Meester Willem nam het tijdschrift aan en wierp er een snelle blik op. 'O ja. Bedank je vader namens mij, Tom.'
Ik knikte en gluurde nog even naar Madieke. Wat zag ze er verdrietig uit! Ik wilde dat ik iets voor haar kon doen. Wat zou er aan de hand zijn? Vast iets ergs. Ze haalde met een snurkend geluid haar neus op.
'Tom, tot morgen,' zei meester Willem en draaide zijn rug naar me toe.
Ik ging de klas uit en sloot de deur heel zacht.

Ik voelde me in de war toen ik buiten stond. Het begon een beetje te regenen en eigenlijk was ik daar wel blij mee want mijn wangen gloeiden. In mijn hoofd stormde het.

Zou Madieke ook slechte cijfers hebben gehaald? Nee, dat geloofde ik niet. Madieke was een goede leerling. Bovendien kon ik me niet voorstellen dat ze zo verdrietig zou zijn om slechte cijfers. Misschien had ze ergens pijn. Of misschien... Mijn adem stokte even. Misschien gingen haar ouders scheiden.
Ik wilde dat ik haar kon troosten. Ik bleef in ieder geval op haar wachten.
Ik keek om me heen. Het plein was nu leeg. Ik ging aan de zijkant staan, bij het klimhuis van de kleuters. Vanaf die plek kon ik de deur in de gaten houden zonder dat ik zelf meteen opviel.
Ik leunde tegen de houten wand. De regen miezerde mijn brillenglazen dicht en ik wreef er langs met mijn vingers.
Meester Willem zou er vast alles aan doen om haar te helpen. Ik vond het goed dat ze naar hem toe was gegaan. Dat zou ik ook hebben gedaan als ik echt hulp nodig had.
Het wachten duurde lang. Ik veerde op toen de deur openging. Maar er kwam een kind uit groep vijf of zes naar buiten.
Waarom dacht ik dat haar ouders misschien zouden gaan scheiden? Geen idee. Het is iets wat me heel erg lijkt. Mijn ouders gaan gelukkig niet scheiden. Dat denk ik tenminste. Ze hebben nooit ruzie.
Omdat het steeds harder ging regenen, was ik wat verder doorgeschoven zodat ik wat meer beschut stond. Daardoor zag ik haar pas toen ze al halverwege het schoolplein was. Ze liep snel, de capuchon van haar jack over het hoofd getrokken. Ik voelde mijn hartslag en mijn vingers gingen tintelen. Ik wilde van alles: naar haar toe rennen, haar naam roepen, haar hand pakken, maar ik bleef gewoon staan.
Pas toen ze de schoolpoort uitliep en linksaf sloeg, kon ik me weer bewegen. Ik rende naar mijn fiets en slingerde mijn been over het zadel. Ik tuurde de straat uit. Ze was nog sneller gaan lopen. Terwijl ik langzaam achter haar aan fietste, vroeg ik me af

wat ik nu ging doen? Haar inhalen? Vragen of ik haar kon helpen?
Eigenlijk was ik bang dat ze om zou kijken en zou zien dat ik haar volgde. Daarom hield ik zoveel mogelijk afstand. Pas toen ze de hoek omging, de Kerkstraat in, maakte ik weer vaart want ik wilde haar niet kwijtraken. Ik ging op mijn pedalen staan en trapte die als een razende rond. In de Kerkstraat zag ik haar niet meteen, ik draaide mijn hoofd alle kanten op. Gelukkig, daar was ze. Ze deed een poortje open en liep een tuin in.
Daar woonde ze dus: Kerkstraat 23.
Achter mij claxonneerde een auto. Ik was midden op de straat stil blijven staan. Nu begon het keihard te regenen. Ik dook in mijn kraag en fietste naar huis. Heel langzaam, want mijn hoofd zat vol. Ik werd kleddernat maar dat kon me niet schelen.

Hoofdstuk 10

Madieke ging natuurlijk niet meer uit mijn hoofd. Mijn gedachten waren zo vol van haar dat het leek alsof er nergens anders meer plaats voor was. Zelfs schilderen kon ik niet meer.
Ik voelde wel dat mijn gedrag opviel. Thuis werden er opmerkingen over gemaakt. Mijn moeder voelde zelfs aan mijn voorhoofd.
Op school zat ik de volgende dag zowel mijn sommen als mijn taal verschrikkelijk te verprutsen. Meester Willem hoefde mijn werk niet eens na te kijken. Ik wist zo wel dat ik een nul had.
Ik gluurde steeds zo onopvallend mogelijk naar Madieke maar er was niets bijzonders aan haar te zien. Misschien was haar probleem al opgelost. Ik kon het me haast niet voorstellen. Ze had er zó verdrietig uitgezien.
Waarom was ik niet een beetje meer zoals mijn zus. Waarom was ik zo verlegen. Ik kon toch gewoon naar Madieke toestappen en vragen of ik haar kon helpen?
Ik durfde het niet.
Ineens hoorde ik mijn naam. Iedereen keek naar me en meester Willem schudde met zijn hoofd. Ik denk dat hij al eerder iets tegen me had gezegd maar dat ik dat niet had gehoord.
'W... wat is er?' vroeg ik. Mijn pen rolde van mijn tafel af en viel kletterend op de grond. Ik dook van mijn stoel en kroop de pen achterna. Snel ging ik daarna terug naar mijn plaats.
Meester Willem keek me peinzend aan.
'Blijf je straks even na?' vroeg hij.

Na de les liet hij me eerst klusjes doen. Vloer vegen, plantjes water geven. Zelf was hij nog even op de computer bezig. Ik zag hoe hij afsloot. Ik zette de gieter terug in de vensterbank en bleef afwachtend staan.

Meester Willem wreef door zijn haar. Hij legde een vinger naast zijn neus en wreef een paar keer op en neer. 'Tommie...' zei hij. Niemand noemde mij zo.
'Je bent een dromer, jochie.'
Ik wist niet wat ik daarop moest zeggen. Het was niet de eerste keer dat ik dit hoorde.
'Als jij zo doorgaat, heb jij straks een probleem.'
Ik had geen idee wat hij daarmee bedoelde.
'Ik ben bang dat jij straks niet doorgaat naar groep acht.'
Met een ruk keek ik op. 'Hoezo?' bracht ik uit.
'Hoezo? Wat denk je, hoezo? Je zit de hele dag maar wat uit het raam te staren. Je maakt de ene fout na de andere. Waar zit je met je gedachten?'
Bij Madieke. Moest ik dat zeggen?
'Ik wil je graag helpen, maar je moet toch echt zelf ook beter je best doen. Hoor je me, Tom?'
Ik knikte.
'Die sommen die ik je laatst uitlegde, snap je die nu?'
Ik haalde mijn schouders op.
'Ja, daar komen we niet ver mee. Het is ja of nee.'
'Ik weet het niet.' Mijn stem klonk zacht. Ik keek naar de vloer. Ik zag zand en een snipper papier. Ik had niet goed geveegd.
'Tom.' De stem van meester Willem klonk heel aardig. 'Ik ben er om je te helpen, dat weet je toch?'
Weer knikte ik.
'Kom vanmiddag even bij me langs, dan leg ik je alles nog eens extra goed uit.'
'Hier op school?' vroeg ik, want het was woensdag.
'Nee, bij mij thuis, dat is een stuk rustiger. Hier loopt er altijd wel iemand binnen. Bovendien wil ik je advies vragen. Ik heb een oud tafeltje dat ik wil verven. Ik twijfel nog over de kleur. Ik denk dat jij me misschien kunt adviseren.'

'O, ja... Leuk.' Ik was verrast.
'Goed.' Meester Willem pakte wat blaadjes papier van zijn bureau en maakte er een net stapeltje van. Hij stopte het in zijn tas. 'Om een uur of vier? Heb je dan tijd?'
'Ik denk het wel.' Misschien moest ik mama helpen in de theetuin. Maar zo had ik meteen een goede reden om er tussenuit te glippen.
'Mooi!' Meester Willem gaf me een knipoog.

Het werd inderdaad hartstikke druk die middag. Er zaten zelfs mensen op het gras omdat alle stoelen bezet waren. Mama en Gabriël liepen af en aan. Zodra mijn moeder me zag moest ik de vaatwasser uitruimen en inladen, tafeltjes schoonvegen en bestellingen opnemen. Volgens mij mogen kinderen van mijn leeftijd nog helemaal niet werken maar mama had geen tijd om naar me te luisteren. Mopperend deed ik wat me gevraagd werd en ik was blij dat ik tegen vieren weg moest.
Door alle drukte had ik een poosje niet aan Madieke gedacht, maar nu ik op weg was naar meester Willem zat ze weer in mijn hoofd.
Het was een omweg om via de Kerkstraat te gaan maar ik kon het niet tegenhouden: mijn fiets ging als vanzelf die kant op. Natuurlijk hoopte ik dat ik haar zou zien. Maar ik voelde het zweet meteen in mijn nek, want stel dát ik haar zou zien. En zij mij. Wat moest ik dan zeggen? Er flitsten allerlei stomme zinnetjes door me heen:
'Dag. Toevallig dat ik je zie. Ik was een stukje aan het fietsen.'
'Hoi Madieke!' Heel verrast.
'Madieke?' Nog verraster.
Nooit geweten dat mijn hart zo snel kon bonken. Toen ik voorbij nummer 23 reed, miste het eerst wel drie slagen en daarna sloeg het geloof ik minstens tien keer zo snel als normaal. Ik schrok er

zo van dat ik keihard ging trappen en het huis voorbij was zonder naar binnen te hebben gekeken. Ik remde en draaide me om. Teruggaan? De klok van de kerk sloeg vier keer. Meester Willem zat op me te wachten! Nee, ik moest nou maar doorrijden. Maar op de terugweg kon ik er nog wel een keer langs.

Meester Willem had me zeker zien aankomen want hij opende de deur al voordat ik had gebeld. Hij had een witte broek aan en was op blote voeten. Zo zag ik hem op school nooit. Er klonk muziek uit de woonkamer. Iets klassieks. Hij liep voor me uit en draaide de volumeknop terug.
'Zo Tommie,' zei hij met een brede glimlach. 'Eerst maar even wat drinken voordat we aan het werk gaan. Wat wil je? Sapje? Cola?'
'Sap is goed!' Ik liep naar de ezel die nog steeds in de kamer stond. Ik was nieuwsgierig. Was dit hetzelfde schilderij als de vorige keer of was de meester alweer met iets nieuws bezig?
Ik vergat om adem te halen en bleef bewegingloos staan. Mijn wangen begonnen te branden en ik keek verbaasd naar meester Willem die met twee glazen naast me was komen staan.
Die trok zijn wenkbrauwen op. 'En? Lijkt het?'
Ik staarde weer naar het schilderij. Daar stond ík. De meester had míj geschilderd!
'Persoonlijk vind ik het heel goed gelukt.' Hij zette de glazen op tafel. 'Wat vind jij?'
'Ik vind het ook goed!' zei ik. 'Ik vind de kleuren zo mooi. Je ziet dat ík het ben, maar veel mooier dan ik in het echt ben.'
'Mooier?' herhaalde de meester. Hij kneep zijn ogen tot spleetjes en keek van mij naar het schilderij en terug. 'Hoe kom je daar bij? Ik vind jou een heel mooie jongen om te zien hoor. Daarom heb ik je ook geschilderd, denk ik.'
'Ik vind mezelf helemaal niet mooi!' Ik hoorde dat mijn stem

oversloeg. 'Die stomme bril en dat stomme haar. Dat wortelhaar!'
'Wortelhaar!' Meester Willem lachte bulderend. 'Ik hou wel van worteltjes hoor!' Hij wreef even stevig door mijn krullen.
'Doe je dat wel vaker?' vroeg ik. 'Kinderen uit de klas naschilderen?'
Meester Willem trok een stoel onder tafel uit en ging zitten. 'Och...' zei hij. Hij pakte een van de twee glazen en dronk het in één teug leeg. Hij veegde met de rug van zijn hand langs zijn mond, pakte toen het glas weer vast en draaide het rond. 'Ik weet van tevoren nooit wat ik ga schilderen. Ik laat me altijd verrassen.'
O ja, dat zei hij de vorige keer ook. Maar het was niet echt een antwoord op mijn vraag.
Hij trok de stoel naast zich ook onder de tafel uit en gaf een tikje op de zitting. 'Kom jongen, we moeten nog aan het werk. Ik heb al een aantal sommen voor je opgeschreven.'
Ik ging zitten. Rustig en helder begon hij de sommen weer uit te leggen. Volgens mij snapte ik ze de vorige keer al, maar nu waren ze me helemáál duidelijk. Ik moest ze nu zonder problemen kunnen maken. Meester Willem liet me een kwartiertje oefenen en knikte af en toe goedkeurend.
'Mooi,' zei hij na de laatste som. 'En als het nou morgen op school weer niet lukt, dan spreken we opnieuw af. Jij komt net zo lang bij me langs totdat je met je ogen dicht een tien haalt!'
Opgelucht stond ik op. Ik was blij dat ik nu alles goed snapte. 'Bedankt voor de hulp!'
Hij stak zijn hand uit. 'Alsjeblieft. Met alle plezier gedaan! Maar eh... Ook niet meer zoveel dromen hè. Dat moet je echt proberen!'
Hij bleef mijn hand even vasthouden. Mijn blik ging weer naar het schilderij. Eigenlijk was ik er wel een beetje trots op dat de meester mij had geschilderd.

'Wat ga je er mee doen?' vroeg ik nieuwsgierig.
Hij liep met me mee naar de deur.
'Twee mogelijkheden,' antwoordde hij. 'Of ik verkoop het voor laten we zeggen... een miljoen. Of ik hang het boven mijn bed.'
We lachten allebei toen ik mijn fiets pakte.
Terwijl ik de straat uitfietste, bedacht ik dat ik het tafeltje nog niet had gezien.
Dat kwam dan later wel.

Hoofdstuk 11

Thuis rook het naar appeltaart. Buiten was Gabriël tafeltjes leeg aan het ruimen. In de keuken stond mama deeg uit te rollen en zat papa een grote hoeveelheid appels in stukjes te snijden.
'Je bent vroeg, pap,' zei ik, op de klok kijkend.
'Ja, ik had zin om nog even te gaan hardlopen, maar ik werd hier meteen aan het werk gezet.'
'Lopen kan straks ook nog,' zei mama. 'Je moet me gewoon echt even helpen. Het is vanmiddag zo druk geweest, al het gebak is op.'
Ik snapte niet waarom ze dan niet gewoon naar de bakker ging maar het leek me beter om mijn mond te houden. Gestresste moeders kun je beter met rust laten. Ik pikte een stukje appel en wilde doorlopen.
'Waar kom je vandaan?' vroeg mama.
'Van meester Willem. Hij heeft me mijn sommen nog eens extra uitgelegd.'
'O ja.' Papa knikte. 'Dat vertelde hij laatst toen hij me thuisbracht. Dat hij je wat ondersteuning zou geven. Leuke meester!'
Ik pakte nog een stukje appel. 'Hij heeft me geschilderd!'
'Hoezo?' Mama pakte een bakvorm en vette die zorgvuldig in. 'Wat bedoel je? Een schilderij?'
Ik knikte trots. 'Ja, en het lijkt hartstikke goed. Meester Willem kan heel goed schilderen. Zijn huis hangt vol met schilderijen die hij heeft gemaakt.'
Op dat moment stampte Annemoon de keuken binnen. Ze huilde. Haar mascara was doorgelopen en trok zwarte sporen over haar wangen.
'Kindje, wat is er?' vroeg mama verschrikt. Haar handen bleven

zweven boven de bakvorm en papa stopte met appels snijden.
'Het is uit!' Annemoon smeet haar tas neer. Tranen rolden uit haar ogen en spatten op de tegelvloer. 'Ik wil hem nooit meer zien!'
'Ga even zitten,' probeerde papa. Maar Annemoon liep met grote passen naar de trap. 'Laat me met rust!' schreeuwde ze. 'Ik wil dood!' Haar voeten stampten op de treden en daarna knalde haar kamerdeur in het slot.
Mama slaakte een zucht en boog zich weer over het deeg.
'Moeten we niet even naar haar toe?' vroeg papa bezorgd.
'Ze kan beter eerst even afkoelen.' Mama blies een pluk haar weg uit haar gezicht. 'Ik weet niet eens om wie het nu weer gaat. Richard, geloof ik. Dat kind verslijt jongens bij de vleet!'
Ik voelde er weinig voor om ook weer aan het werk te worden gezet en liep snel de keuken uit.
Gabriël liep met een emmertje sop tussen de tafeltjes door en wilde juist de tuinbank onder handen nemen. 'Hé Tom!' Hij wenkte me. 'Er hebben vanmiddag wel vijf mensen iets gezegd over je schilderwerk.' Hij wees naar de taartjes op de leuning. 'Het is een groot succes!'
'Ja? Echt?' Ik voelde mijn lippen omhoog krullen. 'Misschien krijg ik dan nog wel meer opdrachten.' Ik droomde even hardop. 'Dan word ik nog rijk!'
Gabriël grinnikte maar dat was maar even. Bezorgd vroeg hij: 'Wat is er met je zus aan de hand? Ze leek me behoorlijk van streek.'
'Haar verkering is uit.'
'Ach...' Gabriël kneep zijn werkdoekje uit boven de sopemmer. 'Ja jongen... de liefde... Soms voert het je naar de hemel, soms naar een dal vol tranen. Zie je Marietje nog wel eens?'
'Madieke?' Ik verstond het natuurlijk weer verkeerd.
'Wie is Madieke?' vroeg Gabriël en keek nieuwsgierig naar mijn brandweerrode kop.

Ik probeerde onverschillig mijn schouders op te halen. 'Zomaar... Een meisje uit mijn klas.' Ik wist niet hoe ik moest kijken en bukte me om mijn schoenveters opnieuw te strikken.
'Leuk meisje?' Er zat een plagerig lachje in Gabriëls stem.
Ik haalde diep adem. 'Héél leuk!' antwoordde ik dapper en ik strikte mijn veters nog een keer.
'Mooie naam, Madieke...'
'Maar je bedoelde Maríetje!' Ik wilde Madieke voor mezelf houden.
'Dat klopt.' Gabriël had ondertussen de bank schoongeboend en droogde hem nu na met een zeem. 'Hoever ben je met haar kastje?'
Ik vertelde dat ik er de laatste dagen niet veel aan had gedaan. 'Ik ben nog niet eens klaar met schuren.'
'Als het helemaal af is, breng ík het wel naar Marietje,' zei Gabriël.
'O!' Ik was verrast.
'Dat wil ik gráág!' voegde Gabriël eraan toe. En trok een grimas.
Plotseling kreeg ik een vermoeden.
'Leuk meisje?' vroeg ik met een grijns van oor tot oor.
Gabriël sloeg zijn zeem uit zodat de druppels me om mijn oren vlogen.
'Heel leuk,' zei hij en zijn ogen blonken. 'Snotaap!'

Hoofdstuk 12

De volgende dag ging ik vroeger naar school dan anders. Ik wilde nog even met meester Willem over het tafeltje praten. Hij had gezegd dat hij wilde dat ik ernaar keek. Misschien konden we afspreken dat ik nog een keer zou langskomen.
Ik was expres weer door de Kerkstraat gefietst. Lángzaam dit keer, maar achter het raam van nummer 23 bewoog niets.
Op het schoolplein speelden een paar kinderen. Maar omdat je bij ons niet buiten hoeft te blijven totdat de les begint, ging ik alvast naar binnen. In de gang was het nog stil. Bij mijn eigen lokaal zag ik één jas aan de kapstok hangen; het rode jack van Madieke. Ik bleef er een poosje als een zombie naar staan kijken. Toen liep ik voorover gebogen naar het raam. Ik maakte me nog kleiner en probeerde zo onopvallend mogelijk naar binnen te kijken. Daar zat ze. En wéér huilde ze. Meester Willem zat tegenover haar en hield haar hand vast. Ik zag zijn lippen bewegen maar ik kon niet verstaan wat hij zei.
Madieke! Van medelijden kreeg ik een prop in mijn keel. Ik draaide me om en liep terug naar buiten. Op het schoolplein liep ik doelloos heen en weer. Ik wachtte tot ik kinderen van mijn klas naar binnen zag gaan en sjokte toen achter hen aan.

Ik was er aan één stuk door mee bezig: hoe kon ik Madieke helpen? Uiteindelijk bedacht ik dat ik haar pas kon helpen als ik wist wat er aan de hand was. Dus zou ik het aan meester Willem vragen. Ik vond dat ik dat moest durven. Bij hem voelde ik me altijd veilig, dus dat moest lukken.
Ik probeerde het eerst tussen de middag maar toen hadden andere kinderen hem ook steeds nodig. Om kwart over drie was er

eerst een moeder die hem wilde spreken en daarna had hij een vergadering. Daarom besloot ik 's avonds na het eten nog even naar hem toe te gaan. Ik zou net doen of ik vooral voor dat tafeltje kwam, dat vond ik wel een goeie smoes.
Madieke had de hele dag stil en bleek in de klas gezeten en in de pauze had ze steeds haar vriendinnen om zich heen. Zouden die wel weten wat er aan de hand was?
Ik was blij toen ik eindelijk bij meester Willem op de stoep stond. Het duurde even voordat hij opendeed. Ik was al bang dat hij niet thuis was. Ik wilde juist nog een keer op de bel drukken toen hij de deur opende. Hij keek verrast. 'Dag Tom!'
'Meester, ik eh... ik kwam... ik kom... je zei toch dat je een tafeltje had?'
'Een tafeltje?'
'Dat je wilde verven. Maar je wist niet in welke kleur.'
'Eh... ja.' Hij leek even na te moeten denken. Toen deed hij de deur verder open. 'Kom binnen Tom. Ik zit net te eten.'
'Zo laat nog?' Het was al bijna half acht.
We liepen weer door de gang met felgekleurde schilderijen. Af en toe zag ik er een gezicht in, maar vaak leken het niet meer dan in elkaar overlopende gekleurde vlakken. Ik had er best nog wat langer naar willen kijken maar de meester was de kamer al ingelopen en ging zitten. Op tafel stond een bord salade en gebakken aardappeltjes. Ernaast stond een glas witte wijn.
'Eet smakelijk,' zei ik.
'Dank je.' Hij prikte een aardappel aan zijn vork. 'Ik had een bespreking en die liep vreselijk uit. Vandaar dat ik nu nog aan tafel zit.'
Toen pas viel het me op dat meester Willem altijd alleen was.
'Ben je niet getrouwd?' vroeg ik.
Hij schudde zijn hoofd. 'Nee. Jij wel?'
Ik grinnikte.

'Dat tafeltje staat in de bijkeuken,' zei hij. 'Ik zal het je zo laten zien.'
Ik ging tegenover hem zitten. Ik haalde diep adem. 'Ik kom ook nog ergens anders voor.'
Hij nam een slokje wijn en keek me aan boven zijn glas. Ik denk dat hij wel aan me zag dat ik moeite had om mijn vraag te stellen. Hij knikte me geruststellend toe. 'Zeg het maar. Ik luister.'
'Het gaat over Madieke.' Ik had het gezegd. Mijn hoofd gloeide maar de wereld draaide gewoon door. Nu moest ik verder. 'Ik heb gezien dat ze zo huilde. En… ik wil haar graag helpen als het kan. Maar ik weet niet wat er aan de hand is. Ik denk dat er iets ergs is.'
De meester knikte. Zijn ogen dwaalden even van me weg. 'En wat wil je nu van mij?' Hij nam weer een hap. Ik hoorde hem kauwen op een olijf. Zijn mes kraste over zijn bord.
'Wat ik wil?' Het zweet brak me uit. Ik schoof de mouwen van mijn shirt omhoog. 'Misschien wil jij me vertellen wat er met Madieke aan de hand is?'
Het was eruit. Ik keek naar een vliegje dat snel over de rand van de tafel liep. Het zigzagde alsof het teveel borrels op had, vloog op en streek neer op een vaas met rozen.
'Dat is heel aardig van je Tommie.' De meester keek me warm aan. 'Maar problemen die iemand mij toevertrouwt, vertel ik niet door. Dat zou jij toch ook niet willen?'
Aarzelend schudde ik mijn hoofd.
Hij nam een slokje wijn en at weer verder. Ik staarde naar de vork die steeds van zijn bord naar zijn mond ging. Een poosje zeiden we geen van beiden iets. Toen schraapte meester Willem zijn keel. 'Wees maar gewoon heel lief voor haar,' zei hij. 'Dan help je haar het beste. En… ik denk dat Madieke over niet al te lange tijd wel aan de klas vertelt wat er aan de hand is. Maar op dit moment is ze nog niet zo ver. Ja?'

Ik knikte. Ik was teleurgesteld maar ik wilde het niet laten merken.
Meester Willem dronk zijn glas leeg en zette het op zijn lege bord. Hij pakte een zakdoek en veegde ermee langs zijn mond. 'Zullen we dan nu even naar dat tafeltje kijken?'
Op dat moment ging de telefoon. Meester Willem wees naar een deur. 'Daar is de bijkeuken. Ga jij maar alvast kijken, ik kom eraan.'
Terwijl hij naar de telefoon liep, opende ik de deur. In de bijkeuken was het schemerdonker. Ik zocht naar een schakelaar en knipte het licht aan. Ik zag een vrieskist, een wasmachine en een droogtrommel. Er was een open kast met emmers en schoonmaakspullen en daarnaast stond het tafeltje. Dat wil zeggen: daar stond een tafeltje dat wel wat verf kon gebruiken, dus dat zou 'het' wel zijn. Het was niet groot maar wel bijzonder van vorm. Heel sierlijk. Het was ooit wit geschilderd maar de verf was nu hier en daar afgebladderd. Ik krabde erlangs met mijn nagel. Zonde, die witte verf. Ik klopte op het hout. Het zou wel eiken zijn. Ik zou het mooi blank maken, in plaats van opnieuw verven. Ik hoorde meester Willem praten aan de telefoon. Ik vond dat hij gelijk had: dingen die je werden toevertrouwd, moest je niet doorvertellen. Wat zei hij? *Wees maar heel lief voor haar.* Ik perste mijn lippen op elkaar. Hij had makkelijk praten!
Ik wilde eigenlijk weer naar huis. Ik wilde alleen zijn en nadenken. Maar het telefoongesprek ging nog steeds door. Ik keek een beetje om me heen. In de kast stond ook een laag kistje met tubes verf en er stond een grote glazen pot met penselen. Tegen de andere muur stond een kast met tuinspullen en links daarvan zag ik een paar schildersdoeken. Nieuwsgierig liep ik erheen. Het waren er een stuk of vijf. Ik trok er een uit, de voorste. Ik keek er naar, stomverbaasd. Op het schilderij stond een jongen van mijn leeftijd. Hij was bloot. Ik vond het een mooi schilderij. Aan de

kleuren kon ik zien dat het van de meester was. Hij had veel zure-appeltjes-groen gebruikt en een heel mooie kleur blauw. Van dat mooi-weer-blauw dat er alleen is als de lucht helemaal strak is.
Ik trok nog een schilderij naar me toe. Weer een blote jongen. Ik voelde me een beetje raar. Waarom schilderde hij dit?
Ineens stond hij achter me. Ik had hem niet horen aankomen en ik schrok me rot. Ik probeerde het schilderij terug te duwen. Hij greep mijn hand. 'Ho, ho, een beetje voorzichtig!'
Ik trok mijn hand terug.
'Wie zijn die jongens?' vroeg ik.
Er verscheen een klein glimlachje rond zijn lippen, maar toch kon ik niet goed zien of hij misschien boos was omdat ik aan zijn schilderijen was geweest.
'Ze hebben geen naam,' zei hij. 'Je weet toch dat ik me altijd laat verrassen.'
'Maar bestaan ze wel echt?' hield ik aan.
'In je fantasie kan alles echt zijn. Vind je ze mooi?'
Ik knikte aarzelend. 'De kleuren zijn heel mooi. Maar ik vind het een beetje gek dat die jongens bloot zijn.'
'Ben je wel eens in een museum geweest? In een schilderijenmuseum, bedoel ik?'
Tijdens vakanties bezochten we er altijd wel een.
'Dan moet je toch weten dat schilders mensen vaak naakt afbeelden.'
Ik herinnerde me schilderijen van dikke vrouwen met grote roomwitte tieten. 'Ik zie ze liever met kleren aan,' zei ik.
Meester Willem lachte hardop. Hij schoof de schilderijen weer op hun plaats. 'En, heb je het tafeltje al bekeken?' Hij sloeg een arm om mijn schouder. Gek, dat had hij al vaker gedaan maar nu vond ik dat ineens vervelend. Maar ik durfde er niets van te zeggen. 'Ik heb het gezien,' zei ik maar gauw.
'Wat zou jij ermee doen?'
'Blank maken.'

De arm bleef op mijn schouder drukken.
'Je meent het! Dat had ik zelf ook gedacht. Mooi tafeltje hè. Het is van mijn oma geweest.'
'Ja.' Ik wilde naar huis. 'Ik ga.'
'Tom.' Meester Willem haalde zijn arm weg. 'Je bent toch niet geschrokken van die schilderijen hè?'
Ik haalde mijn schouders op.
'Bloot is echt heel gewoon in de kunst.'
Ik dacht weer aan die dikke vrouwen. 'Weet ik.'
Hij liet me uit. 'Tot morgen,' zei hij.
'Tot morgen,' antwoordde ik.
Heel langzaam reed ik naar huis. Ik zag iemand lopen in een rode jas en heel even dacht ik dat het Madieke was. Ze was het niet.
Ik voelde me raar. Alsof er van binnen van alles in de knoop zat.
Maar waarom precies, dat wist ik niet.

Hoofdstuk 13

Die nacht droomde ik. Het was vakantie. Ik was met mama, papa en Annemoon in een museum. Annemoon had vijf vriendjes bij zich die voortdurend om haar heen hingen en met haar zoenden. Mama had een enorme hoed op haar hoofd in de vorm van een appeltaart. 'Kijk nou eens!' riep ze uit. Aan de muur hing een schilderij dat door meester Willem was gemaakt. Ik stond erop. Ik was bloot.

'Tommie!' riep mijn moeder uit. 'Hoe kan dit nou?'

'O wat een schattig klein piemeltje!' gierde Annemoon. 'Moet je zien!'

Van alle kanten kwamen mensen toegestroomd. Ik schaamde me dood. Ik wilde weg. Ik duwde en ik trapte om me heen, maar er kwamen steeds meer mensen bij en niemand wilde opzij. Ineens zag ik Madieke in haar rode jas. Ik zag haar overal: links, rechts, voor me, achter me. Ik sprong op en neer en zwaaide met mijn armen alsof ik zo kon voorkomen dat ze het schilderij zou zien.

Ik lag in bed. Het dekbed zat strak om me heen gedraaid en ik had het loeiheet. Het duurde even voordat het tot me doordrong dat ik een nachtmerrie had gehad en dat er niets aan de hand was. Langzaam gleed de schrik uit me weg. Ik gooide het dekbed van me af en wreef in mijn ogen. Wat een rotdroom! Ik dacht weer aan de schilderijen die ik bij meester Willem in de bijkeuken had zien staan. Mijn eigen schilderij, waar was dat gebleven? Ik probeerde me te herinneren of ik de ezel nog in de woonkamer had zien staan. Wat had ik eigenlijk áán op dat schilderij? Hád ik wel iets aan? Doodstil keek ik voor me uit. Tussen het gordijn viel wat licht van de straatlantaarn, verder was de kamer donker. Wat gek, ik herinnerde me mijn gezicht en het groen en blauw er omheen.

Maar verder wist ik niet hoe het schilderij eruitzag. Had hij alleen mijn hoofd geschilderd en was de rest nog niet af? Dat laatste was misschien wel mogelijk. Maar… Mijn spieren spanden zich. Misschien had hij het doek intussen afgemaakt. En als hij míj nu ook eens bloot had geschilderd?
Ik kon onmogelijk blijven liggen. Ik kwam mijn bed uit en liep naar de wastafel. Ik had geen licht aan gedaan en stootte met mijn tenen ergens tegenaan. Tranen sprongen in mijn ogen. Snel schoof ik het gordijn een stuk verder open. Daarna dronk ik eerst wat water bij de kraan van de wastafel. Toen het water een poosje was doorgestroomd, hield ik mijn klamme handen onder de koude straal. Ik wreef ermee langs mijn wangen en mijn hals. Een druppel kroop onder mijn pyjama en rolde over mijn borst. De haartjes op mijn armen gingen rechtop staan. Ik liep naar het raam en ging in de vensterbank zitten. Ik staarde naar buiten, de donkere achtertuin in. In de lucht stond een heel smal maantje.
Ik wist niet goed wat ik moest denken van die blote schilderijen van meester Willem. Het was wel waar wat hij had gezegd, dat bloot heel gewoon was in de kunst. Maar toch gaven de schilderijen me een gevoel van onrust. En ik wist zéker dat ik zelf niet bloot op zo'n schilderij wilde!
Als ik weer eens bij hem was, zou ik hem vragen of ik het schilderij nog eens mocht zien. En als het bloot was, dan zou ik zeggen dat ik dat niet wilde. Ja, zo zou ik het doen.
Ik voelde me langzaam rustiger worden.

De dagen erna bleef het schilderij in mijn hoofd rondspoken. Madieke was er ook nog, dus het was behoorlijk druk binnenin me. Ik probeerde mijn onrust kwijt te raken door zoveel mogelijk aan het kastje van Marietje te werken. Ik had het inmiddels geschuurd en in de grondverf gezet. Vandaag zou ik de blauwe lucht en de witte wolken schilderen. Het was zaterdagochtend.

De theetuin was pas vanaf één uur geopend, dus ik hoefde niet in de garage. Ik stond lekker onder de kastanjeboom. Papa was gras aan het maaien en ik voelde me goed, zoals meestal als ik aan het schilderen was.
Ik snoof de geur op van het pasgemaaide gras en roerde in de verf. Het blauw was datzelfde strakke-luchten-blauw dat de meester had gebruikt. Snel probeerde ik ergens anders aan te denken.
Papa kwam naast me staan. 'Mooi kastje,' zei hij. Hij trok een paar laatjes open en schoof ze weer dicht. 'Is dit het kastje dat je met vlinders moet beschilderen? Mama vertelde erover.'
Ik knikte.
Hij wreef me even over mijn nek. 'Leuk! Ik weet niet van wie je die creativiteit hebt. Van mij in ieder geval niet! Ik ga zo nog even een stukje lopen. Ik heb afgesproken met jouw meester. Het leek ons aardig om een keer samen te lopen. Waarom ga je niet mee?'
'Pa-ap!' Ik zuchtte. 'Jij wilt iedereen aan het hardlopen krijgen. Je lijkt wel verslaafd!'
Pap lachte. 'Er zijn ergere dingen waaraan een mens verslaafd kan raken! Trouwens, aan de taarten van je moeder ben ik al bijna achttien jaar verslaafd. Dus dat lopen van mij kan helemaal geen kwaad!'
'Ik schilder liever!' Ik doopte mijn kwast in het blauw en zette de eerste streek.
'Mooie kleur!' prees papa. Hij klopte een paar grassprieten van zijn broek. 'Nou, ik ga de maaier opruimen en dan vertrek ik.'
Geconcentreerd schilderde ik verder. Ik besloot het kastje eerst helemaal blauw te maken en de wolken er later pas overheen te schilderen. Als dat ook gebeurd was en de verf was goed droog, dan kwamen de vlinders aan de beurt.
Ik had juist het bovenblad klaar toen ik papa zag langslopen. 'Tot straks!' zei hij en stak een hand op. 'Zal ik de meester de groeten van je doen?'

'Is goed!' Ik zwaaide even met mijn kwast.
Papa haalde zijn fiets uit de garage en reed het tuinpad af.
Zomaar ineens was er een plan. Ik voelde een opgewonden kriebel in mijn maag. Even aarzelde ik. Ik stond juist zo fijn te werken. Maar ik wist ook dat ik nu een kans had. Haastig drukte ik de deksel op het verfblik. Ik liep de garage in en stopte mijn kwast in een pot met terpentine. Ik veegde mijn handen af aan een oude lap en pakte mijn fiets.

Om zo min mogelijk tijd te verliezen, fietste ik rechtstreeks naar het huis van meester Willem en ging ik niet via de Kerkstraat.
De fiets van mijn vader stond op het pad naar de voortuin. Ik hoopte dat hij en de meester al waren vertrokken en dat ze niet samen binnen een kop koffie zaten te drinken of zo.
Voor de zekerheid belde ik aan. Mochten ze nog niet weg zijn dan zou ik zeggen dat ik toch graag mee wilde lopen. Dat had ik onderweg bedacht. Ik hoopte natuurlijk dat er niemand was want dan zou ik mooi de klos zijn.
Er werd niet opengedaan. Voor de zekerheid belde ik nóg een keer. Toen er achter de deur nog steeds niks gebeurde, liep ik om het huis heen naar de achtertuin. Ik opende een laag poortje en toen stond ik aan de achterkant van het huis. Het rook er sterk naar rozen en die bloeiden er dan ook volop. Snel liep ik door naar het grote raam van de woonkamer. Ik drukte mijn hoofd tegen de ruit en legde mijn armen eromheen. De ezel stond vlakbij maar ik kon het schilderij dat erop stond net niet zien. Teleurgesteld liet ik mijn armen zakken. Ik schoof nog wat verder naar rechts maar dat maakte niks uit; de ezel stond net iets te ver van het raam gedraaid. Ik schopte tegen een steentje dat voor mijn voeten lag. Het ketste tegen een plantenbak. Ik stopte mijn handen diep in mijn zakken en dacht na. Hoe langer ik daar stond hoe groter de drang werd om het schilderij te kunnen bekij-

ken. Ik liep naar de achterdeur en probeerde de klink. Je kon maar nooit weten. Op slot. Met mijn hoofd in mijn nek keek ik naar boven. Daar stond een raam open. Even overwoog ik het idee om naar binnen te klimmen. Maar hoe zou ik dat moeten doen? Langs de regenpijp? Zoiets had ik nog nooit gedaan en in klimmen ben ik net zo slecht als in rekenen. Stond er beneden niet ergens een raampje open? Van de wc misschien?
Dat zat aan de zijkant. En het stond inderdaad open. Zou ik er doorheen kunnen? Dat was de vraag! Ik drentelde wat rond. Ik zag een afvalcontainer staan. Die zou ik onder het wc-raam kunnen zetten. Ik stond minutenlang te wikken en te wegen.
Plotseling werd er in het buurhuis op de bovenverdieping een raam geopend. Ik keek recht in het gezicht van een mevrouw met een hoofd vol grijze krulletjes. 'Wat doe je daar?' vroeg ze met een dun stemmetje.
Ik zei het eerste wat er in me opkwam: 'Wilt u misschien kinderpostzegels kopen?'
'Kinderpostzegels?' herhaalde de mevrouw. 'Is dat nú alweer? Ik dacht dat dat pas geweest was. Wacht, ik kom naar beneden.'
Ze sloot het raam en ik maakte een spurt naar mijn fiets.

Hoofdstuk 14

De rest van het weekend werkte ik heel hard aan het kastje. Zondagavond stonden zelfs de vlinders erop: een kleine vos, een dagpauwoog, citroenvlinders, een blauwtje en natuurlijk een koninginnenpage. Ik was hartstikke trots op het resultaat. Er moest alleen nog een laklaag overheen, dan was het helemaal af en kon Gabriël het naar Marietje brengen. Ik was erg benieuwd naar haar reactie. Ik vond het prima als Gabriël het bracht, maar ik wilde wél mee.

In de klas zat ik 's maandags voortdurend vlinders te tekenen. Op mijn schriften, op mijn map en zelfs op mijn gum. De gedachten aan het schilderij waren erdoor naar de achtergrond verschoven maar dat gold niet voor Madieke. Ik gluurde regelmatig haar kant op. Ik wilde dat ze zou zien hoe goed ik kon tekenen. Wie het in ieder geval wel zag was meester Willem. Hij keek me aan over zijn leesbrilletje en schudde zijn hoofd. 'Dat is heel mooi Tom, maar niet de bedoeling. Hou daar eens mee op.'

Betrapt stopte ik mijn potlood in mijn etui. Snel pakte ik het boek voor me dat de anderen al lang op hun tafel hadden.

Om twaalf uur, toen iedereen de klas uitliep, hield hij me tegen. 'Tom, ik denk dat wij nog eens samen moeten oefenen. Je rekenwerk zat weer vol fouten.'

'Echt?' Ik was stomverbaasd. 'Maar... Maar ik snap alles,' bracht ik uit.

'Dat is aan je werk niet te merken. Ik schrok ervan toen ik het nakeek.'

Nou, ík schrok ook. Ik krabde aan een korstje op mijn hand en mompelde wat.

'Heb je vanavond om een uur of zeven tijd? Dan nemen we alles nog eens extra goed door.'

Ik knikte afwezig. Misschien had ik wel weer teveel zitten dromen. Een andere verklaring kon ik niet bedenken voor die fouten. Maar ik baalde stevig.

Dat baalgevoel raakte ik niet kwijt. Ik deed 's middags heel erg mijn best om op te letten, maar steeds gingen mijn gedachten er vandoor. En als er geen vlinders door mijn hoofd fladderden, dan fladderden ze wel door mijn buik. Ik hoefde maar éven naar Madieke te kijken en ik hoorde niet meer waar meester Willem het over had.
Ook Madieke was vaak niet met haar werk bezig. Dan zag ik haar voor zich uit staren en dan leek het of haar ogen naar binnen keken. Maar bij haar zei de meester er nooit wat van.
Ik boog me weer over het vel papier dat voor me lag. Er stond nog bijna niets op.
Het lukte me om me een paar minuten op mijn werk te concentreren. Toen werd er op de deur geklopt en stapte meester Bob, onze directeur, de klas binnen.
'Mag ik even storen?' vroeg hij. Meester Bob is klein en dik en lacht bijna altijd. Nu ook. Met een grijns van oor tot oor liep hij naar meester Willem. Hij keek de klas in. Dacht ik dat maar of keek hij mij net iets langer aan? Natuurlijk kreeg ik een brandweerkop.
Iedereen draaide zich nu in de richting van de deur. Er kwamen nog twee mensen binnen: een man met een fototoestel, en een vrouw. Zij droeg een grote zilverkleurige beker.
'Wat is dit?' vroeg meester Willem.
Ineens wist ik het: Meester Willem was de Meester van de Maand. Ik sprong op van mijn stoel.
Meester Bob glimlachte en maakte een gebaar dat ik weer moest gaan zitten.
Iedereen begon te mompelen. Meester Bob klapte in zijn handen

totdat het weer stil werd maar ik had het al opgewonden horen fluisteren: Meester van de Maand!
'Jongens en meisjes,' begon meester Bob. 'Ik wil iets vertellen. Jullie hebben het al gezien; er is bezoek. Deze meneer en mevrouw zijn van Het Nieuwsblad en zij hebben iets leuks te melden.'
'Meester Willem is Meester van de Maand!' schreeuwde Samir.
Iedereen begon te klappen.
Meester Willem hield zijn handen tegen zijn wangen gedrukt. 'Ik weet van niks!' riep hij uit.
De mevrouw zette de beker op zijn bureau en haalde een papier tevoorschijn. Ze lachte naar Samir. 'Goed geraden,' zei ze. 'Ben jij Tom Hoogstraten?'
Toen wees iedereen naar mij en ik wilde het liefst onder mijn tafeltje kruipen.
'O, jíj bent Tom,' zei de vrouw. 'Ik heb jouw mail bij me. Wil jij hem zelf voorlezen?'
Met gloeiende wangen schudde ik mijn hoofd.
'Dan doe ik het.' Ze knikte me geruststellend toe. 'Ik zal me eerst even aan jullie voorstellen. Ik ben Jelske Boshoven van de jeugdpagina van Het Nieuwsblad. Volgens Tom is jullie meester een supermeester. Klopt dat?'
Er ging een gejuich op.
'Ik lees voor wat Tom heeft gemaild.'
Ik verstond helemaal niet wat ze zei, zo spannend vond ik het.
Ik had al een hele poos niet meer aan mijn mailtje gedacht en ik vond het hartstikke gaaf dat de meester nu toch was gekozen.
Meester Willem stond te glunderen als een jarige kleuter.
'Jongens, jongens,' mompelde hij en hij schudde voortdurend zijn hoofd.
'Tom is dus degene die u heeft voorgedragen,' zei Jelske. 'En de redactie van Het Nieuwsblad is het met hem eens dat u deze

maand de beker verdient! Tom, misschien wil jij hem zelf aan de meester geven?'
Ik aarzelde even maar stond toch op. Ik kreeg de beker in mijn handen gedrukt. Hij was zwaarder dan ik had verwacht. 'Meester Willem, Meester van de Maand' stond er in mooie letters op.
'Alsjeblieft,' zei ik. 'Enne... gefeliciteerd.' Ik wist niet wat ik anders moest zeggen.
De meester nam hem van me aan en stak zijn hand uit. 'Dank je wel Tom. Ik ben eh... tja... Ik ben gewoon een beetje ontroerd. Maar ook zo trots als een aap!' Nadat hij me de hand had geschud hield hij de beker boven zijn hoofd.
Iedereen klapte en iemand zette 'Lang zal hij leven' in. De fotograaf schoot intussen een heleboel foto's.
'Meester, nou moet je wel trakteren!' riep Suus.
'Ja, dat vind ik ook!' tetterde Samir er meteen achteraan.
'IJsje! IJsje!' klonk het al gauw van alle kanten.
Meester Willem greep zijn portemonnee. 'Oké,' zei hij. 'Ik vind dat jullie helemaal gelijk hebben. Gaan jullie het even halen, Suus en Samir?'
Die lieten zich dat geen twee keer zeggen. Meester Willem gaf hun geld en daarna dromde iedereen om hem heen om de beker goed te kunnen bekijken.
Een heleboel kinderen gaven mij een schouderklopje en ook Madieke stond ineens naast me. Ze haakte haar veulentjesbruine haar achter haar oren en glimlachte naar me. 'Goed van je,' zei ze.
Mijn benen werden even helemaal slap, als twee natte soepstengels. Ik greep me vast aan de stoel die naast me stond. 'Eh... ja,' stamelde ik.
Ik wilde dolgraag nog meer zeggen maar het leek wel of dit de enige twee woorden waren die ik kende. Maar Madieke was al verder gelopen en sloot zich aan bij het groepje rondom de meester.

‘Sietse!’ riep meester Bob. ‘Hoef jij de beker niet te zien? Kom er eens bij, dan kom je ook op de foto.’
Toen pas zag ik dat Spook als enige op zijn stoel was blijven zitten. Hij keek met een onverschillige blik de andere kant op.
Meester Bob liep naar hem toe. ‘Hé, doe eens niet zo raar. Kom erbij!’
Ik zag en hoorde het wel maar de woorden en de lach van Madieke hadden me bedwelmd. Ik vroeg me geen seconde af waarom Spook de meester niet wilde feliciteren.

Ik was helemaal vrolijk toen ik thuiskwam. Zowel mam, pap als Annemoon deed ik verslag over de gebeurtenissen van die middag en ze vonden het allemaal leuk.
‘Helemaal terecht,’ vond pap. ‘Die Willem is echt een prima kerel. Wat mij betreft heeft hij die beker verdiend! Goed initiatief van jou, Tom!’
Annemoon vond het vooral te gek dat we in de krant zouden komen. Volgens mij was ze stinkend jaloers.
Jammer dat we nog tot vrijdag moesten wachten.

Hoofdstuk 15

’s Avonds zou ik dus bij de meester langsgaan. Mama had me een stuk chocoladekersentaart meegegeven. Het was groot genoeg voor twee personen dus wie weet deelde meester Willem het met mij.
Natuurlijk reed ik weer door de Kerkstraat. Ik had ineens het gevoel dat het vandaag toch wel een heel speciale dag moest zijn, want daar zag ik Madieke! Ik reed bijna tegen een lantaarnpaal! Samen met een jonger meisje zat ze op de stoep voor haar huis. Ze zag me en ze glimlachte. Ik glimlachte terug, zei ‘Hallo!’ en reed toen keihard verder. Sukkel die ik was. Ik had kunnen stoppen, even met haar kunnen praten. Waarom had ik dat niet gedaan?
Terwijl ik naar het huis van de meester fietste, speelde het Madiekefilmpje zich voortdurend af in mijn hoofd. Ik zag haar zitten op de stoep. Ze keek op en glimlachte. Daarna begon het filmpje weer opnieuw. Hoe ik naar het huis van meester Willem ben gereden, weet ik niet. Ik kan me niet herinneren dat ik ergens voor een rood stoplicht heb gewacht of een weg ben overgestoken.
Ineens was ik er gewoon.
Meester Willem was ook nog steeds in een stralend humeur en toen ik hem de taart gaf begon hij helemáál te glunderen. ‘Zo! Van je moeder! Bedank haar heel hartelijk Tom! Wat is het? Chocoladetaart?’
‘Met kersen,’ antwoordde ik.
‘We delen hem,’ zei de meester. ‘Jij lust toch ook een stuk? Anders word ik veel te dik.’
Ik knikte. En toen pakte de meester mijn hand en legde hem tegen

zijn buik. 'Moet je voelen. Beetje té, vind je niet?'
Meester Willem was inderdaad niet superslank. Maar ik vond het raar om aan zijn buik te voelen en trok mijn hand snel los.
Hij zei er niks van en liep met het stuk taart naar de keuken. 'Kopje thee erbij? Is wel lekker hè. Dan hebben we daarna nog tijd genoeg om naar die sommen te kijken.'
Terwijl hij met bekers en de theepot bezig was, dacht ik weer aan het schilderij. Ik liep de woonkamer in en keek rond. De ezel was weg. Mijn ogen gleden langs alle muren.
'Waar is mijn schilderij?' vroeg ik. 'Ik bedoel, het schilderij waar ík op sta?'
'Jouw schilderij? Dat staat boven.' Hij haalde een theezakje uit een doosje en hing het in de theepot. Daarna haalde hij bordjes uit een kast en verdeelde de taart in twee stukken.
'Mag ik het nog eens zien?' Ik voelde me plotseling raar trillerig.
Hij gaf niet meteen antwoord. Hij legde vorkjes naast de taart. Intussen was het water gaan koken. Hij goot het in de pot. Damp steeg op totdat hij het deksel erop deed. 'Even trekken,' zei hij.
Wilde hij me het schilderij niet laten zien?
'Kom, we gaan zitten!' Hij nam de schoteltjes met taart en liep naar de tafel. Ik zag dat hij het rekenboek al klaar had gelegd. Ik moest plotseling heel diep zuchten. Meester Willem hoorde het.
'Die zucht leek wel uit je tenen te komen!'
Ik plofte op de stoel neer. 'Die rotsommen ook! Hoe kan dat nou? Ik snap ze en toch doe ik ze fout!'
'Dat zullen we zo meteen eens rustig bekijken. We gaan eerst van de taart genieten.' Meester Willem liep de keuken weer in en kwam terug met twee bekers thee. Die van mij was effen wit maar op die van hem stond *Meester is lief!* Hij zag dat ik ernaar keek.
'Eigenlijk is de beker die ik vanmiddag kreeg mijn tweede. Deze kreeg ik een paar jaar geleden al eens voor mijn verjaardag.'
'Maar dat is een gewone drinkbeker.'

'Da's waar. De beker die ik vanmiddag kreeg, is een echte prijsbeker. Die zet je op de schoorsteenmantel of op het dressoir. Maar met deze drinkbeker was ik ook blij hoor. Ik kreeg hem van een kind dat niet zo gemakkelijk was. Dat vaak problemen gaf in de klas.' Hij keek me glimlachend aan. 'Schoolmeester zijn is een geweldig vak. Kinderen zijn mooie mensen.'
We aten zwijgend onze taart. Daarna begonnen we aan de sommen. De meester sloeg het boek open. 'Hier, maak dit rijtje maar eens. Reken hardop, zodat ik kan horen hoe je het doet.' Hij was heel dicht naast me komen zitten. Ik kreeg het er warm van. Ik stotterde en knoeide en maakte fout na fout. Meester Willem begon alles weer uit te leggen. Heel rustig. Ik snapte het best maar ik kon mijn hoofd er gewoon niet bijhouden.
'Weet je wat?' Meester Willem sloeg het boek dicht. 'We stoppen ermee. We laten het even rusten en volgende week kom je weer langs en dan proberen we het opnieuw. Goed idee?'
Ik knikte.
Hij woelde door mijn haar. 'Niet zo somber kijken!'
'Ik wil niet blijven zitten!' Ik wilde naar groep 8 en het liefst met goede cijfers.
'Jij blijft niet zitten! Daar zal ik persoonlijk voor zorgen!'
De meester stond op en ook ik schoof mijn stoel naar achteren.
'Ga lekker naar huis, iets leuks doen voor jezelf. En bedank je moeder voor de taart. Niet vergeten!'
We liepen naar de deur. 'Tommie.' Meester Willem sloeg weer een arm om me heen. 'Ik vind het geweldig dat ik dankzij jou Meester van de Maand ben geworden! Dank je wel!' Hij drukte me even tegen zich aan en gaf me een zoen, net naast mijn mond.
Verward deed ik een stap terug.
'Ga nou maar. Ik zie je morgen weer!' Hij opende de deur en gaf me een zacht duwtje.
Als een zombie liep ik naar mijn fiets.

Thuis ging ik op mijn bed zitten. Met mijn rug tegen de muur en met Hannibal om mijn nek. Trix en Dorus lagen op mijn schoot. Trix opgerold als een in elkaar gedraaide sok, en Dorus languit, als een spinnend kleedje.
Er was iets met meester Willem. Iets waar ik geen naam voor had maar wat ik dichterbij voelde sluipen. Het was niet dat ik hem niet meer aardig vond. Maar misschien was hij té aardig. Hij raakte me steeds aan. En die zoen. Welke meester gaf er nou een zoen aan een kind dat bij hem in de klas zat? Ik kreeg wel eens vaker een zoen van een man. Van papa natuurlijk. En ook wel eens van mijn oom Theo, als ik jarig ben of zo. En mijn opa, die zoent ook altijd als we bij hem op bezoek komen. En als we weggaan nog een keer. Dat vond ik normaal.
Ik aaide Dorus van zijn kopje tot zijn staart, en daarna steeds opnieuw. Hij begon harder te spinnen. Nu opende Trix één oog waarmee ze me strak aankeek.
Deed meester Willem iets verkeerd?
Toen dacht ik weer aan het schilderij. Nou had ik het nóg niet gezien! Waarom niet? Was hij het vergeten? Wilde hij niet dat ik het zag? En waarom dan niet?
Stond ik bloot op dat schilderij?
Bloot is in de kunst toch heel normaal.
Hannibal begon kopjes te geven in mijn nek.
En dan waren er nog die sommen.
Die rotsommen!

Hoofdstuk 16

Het kastje was helemaal af. Ik zou het samen met Gabriël naar Marietje gaan brengen. Het stond in de aanhanger. Gabriël had er dekens omheen gewikkeld zodat het zeker niet beschadigd kon raken. Ik zat naast hem vóór in de auto. Gabriël reed langzaam en nam iedere verkeersdrempel alsof hij een vracht eieren vervoerde. Ik snuffelde. Er hing een onbekend luchtje in de auto.
'Wat ruik ik toch?'
Gabriël streek over zijn wangen en grinnikte. 'Dat zal mijn aftershave zijn. Lekker?'
'Mmweh...' Ik keek naar hem van opzij. 'Als Marietje het maar lekker vindt.'
'Bijdehandje!' Gabriël schakelde terug voor een bocht. Ik had het heus wel door: Gabriël had een oogje op Marietje. Ik vroeg me af of het omgekeerd ook zo was. Volgens mij was Marietje nog steeds vol van Pieter. En ze was al hartstikke oud. Gabriël ook trouwens. Kon je dan nog verliefd worden?
Ik dacht aan Annemoon. Die had alweer een nieuw vriendje. Annemoon was echt een kampioen in verliefd zijn. En ik zelf? Dat ik steeds aan Madieke moest denken en langs haar huis fietste. Had dat echt met verliefd zijn te maken? Maar verliefd zijn is toch ook zoenen en hand in hand lopen? Hand in hand lopen wilde ik misschien wel. Maar zoenen! Eigenlijk vond ik het al genoeg om naar Madieke te kunnen kijken. Om een lach van haar te krijgen. Om over haar te dromen. Zou je op verschillende manieren verliefd kunnen zijn? Ik keek weer naar Gabriël. Hij siste een melodietje tussen zijn tanden en trommelde met zijn vingers op het stuur. Hij ving mijn blik op.
'Wat denk je Tom?'

Ik haalde mijn schouders op. Ik kon moeilijk zeggen wat ik dacht! Het was niet ver naar het Papenpad. We stopten voor Marietjes huis. Ik zag voor één van de ramen het gordijn bewegen. Ik hoopte ontzettend dat Marietje blij zou zijn met het kastje.

Ze zei eerst niets. Ze keek alleen maar. Ik kreeg het er benauwd van. Ik probeerde door háár ogen te kijken naar het strakke-luchten-blauw en de witte schapenwolken. En naar de vlinders. Naar de vlinders vooral. Het was goed. Toch?
Ze greep mijn hand. Ik zag tranen in haar ogen.
'Dank je wel Tom. Het is geweldig. Zo mooi! Nog duizend maal mooier dan ik had verwacht. Je bent een echte kunstenaar!'
De zucht die ik slaakte leek wel uit mijn knieën te komen. 'O! Gelukkig!' bracht ik uit.
Marietje en Gabriël lachten.
'Die jongen weet zelf niet hoe goed hij is,' zei Gabriël. 'Hè, Tom?'
Ik lachte een beetje schutterig terug. 'Zullen we het kastje meteen op de goeie plek zetten? Marietje? Waar wil je het hebben?'
Samen met Gabriël tilde ik het kastje en zetten we het in de kamer. Binnenin me gloeide het op een manier die ik nog nooit eerder gevoeld had. Ik wist ineens wát ik voelde: geluk! Omdat ik iets moois had gemaakt. En omdat ik daarmee iemand anders blij had kunnen maken.
Door het raam zag ik Mies op de tuinbank zitten. 'Ik ga even naar buiten,' zei ik. 'Kijken hoe het met Mies is.'
Ik moest alleen zijn. Het gevoel binnenin me was zo groot dat ik er bijna van moest huilen. Hoe kon dat nou? Waarom voelde ik zoveel? Mama zou misschien zeggen: 'Je bent aan het puberen.' Is dat zo? Voel je dan dingen die je voorheen nooit voelde? Puberen is toch dat je puistjes krijgt en de baard in de keel?
Ik wilde Mies oppakken maar ze sprong van de bank en ver-

dween tussen de struiken. Hoe zou het met Ernie en Bert zijn?
Ik keek in de richting van het huis. Gabriël en Marietje stonden met elkaar te praten. Zou Gabriël ook wel eens zogenaamd toevallig langs het huis van Marietje rijden? En zou hij met haar willen zoenen of zou hij het ook genoeg vinden om alleen maar haar hand vast te houden?
Ik slenterde de tuin door. Er stonden veel bloemen in veel kleuren. Ik liep het tuinpad af. Stil was het hier. De verharde weg ging over in een fietspad dat door het bos kronkelde. Ik keek naar een paar rondscharrelende vogels.
Geknerp op het fietspad gaf aan dat er een fietser zou passeren. Daar was hij al. Hé, het was Spook! Wat ik nooit deed, deed ik nu spontaan: ik stak mijn hand op. 'Hoi!'
Spook remde, zijn wiel slipte een beetje. Pal voor mijn voeten kwam hij met zijn fiets tot stilstand. Hij kneep zijn ogen een beetje samen. 'Wat moet je?'
Ik was verbaasd. 'Gewoon. Niks. Hoi.'
Ik zag zijn blik donker worden. 'Loser!' zei hij. Hij spuugde me in mijn gezicht.
'Hé!' riep ik. 'Ben je gek geworden!'
Ik wilde hem grijpen maar hij zette af en ging ervandoor. 'Vriendje van de meester hè!' riep hij nog.
Hij was allang de straat uit toen ik nog stond te kijken. Ik veegde met mijn mouw over mijn gezicht. Waar sloeg dít op?

Hoofdstuk 17

Toen ik de volgende dag op school kwam, zag ik dat Spook me uit de weg ging. Dat kwam me eigenlijk wel goed uit; Spook is een kop groter dan ik en ik had geen zin in ruzies en vechtpartijen. Maar wat er was gebeurd, zat me wel dwars. Spook had me altijd aardig geleken, maar dat was nu over. Op mijn vorige school werd ik vaak gepest. Ze scholden me uit voor rooie, stoplicht en brillenman. Ik was juist zo blij dat ik van het gepest af was. Ik hoopte dat het nu niet weer zou gaan beginnen.
Meester Willem vroeg ons in de kring te gaan zitten. Zijn gezicht stond ernstig. Alsof die ernst oversloeg naar de klas, nam iedereen heel rustig zijn stoel op. Ik keek om me heen waar Madieke was. Wàs ze er wel vandaag? Mijn ogen gleden de hele kring rond. Nee! Mijn hart begon voelbaar te kloppen.
'Zitten we allemaal?' vroeg meester Willem.
Ik wreef met mijn handpalmen over mijn broek. Ik keek strak naar meester Willem, alsof ik de woorden zo uit zijn mond kon trekken.
Meester Willem bewoog zijn lippen, legde zijn vinger tegen zijn neus en streek een paar keer door zijn haar.
'Wat is er, meester?' vroeg Samir.
'Meester? Waarom is Madieke er niet?' Het gezicht van Pleun stond bezorgd en haar stem trilde een beetje. Mijn hart ging nog sneller tekeer. Wat was er aan de hand?
'Ik heb slecht nieuws,' zei meester Willem zacht. 'De moeder van Madieke is vannacht overleden.'
Tranen gleden uit mijn ogen. Ik kende de moeder van Madieke niet, maar Madieke zou nu vast heel erg verdrietig zijn.
Een paar meisjes begonnen te huilen, kropen bij elkaar en sloe-

gen de armen om elkaar heen. De jongens bleven stil op hun stoel zitten. De meesten staarden naar de grond. Ik ook, want wat moest ik anders doen.
'Ik heb de afgelopen weken vaak met Madieke gesproken.' Meester Willems stem was heel rustig. 'Haar moeder was ernstig ziek. Ze had borstkanker. Een aantal van jullie wist dat.'
Ik zag Madiekes vriendinnen knikken.
Dus daarom keek ze altijd zo verdrietig. Arme, arme Madieke.
'Madieke wist dat haar moeder niet meer beter kon worden. Maar dat ze vannacht al zou overlijden, dat had niemand verwacht.'
We bleven een poosje stil bij elkaar zitten.
'Wat gaan we nu doen?' vroeg Tilly. Haar ogen waren rood.
'Wat wíllen jullie doen?' vroeg meester Willem.
'Water drinken,' zei Sanne.
Iedereen moest een beetje lachen.
'Laten we daarmee beginnen,' zei meester Willem. 'Iedereen die dat wil, gaat wat water drinken en dan ga je weer zitten.'
Er groeide iets in de kring. Ik was verdrietig maar ik vond het ook heel fijn om zo bij elkaar te zijn. En volgens mij vond iedereen dat.
Meester Willem stak een paar waxinelichtjes aan en zette ze in het midden van de kring. Wie wat wilde vertellen, mocht dat. Er kwamen veel verhalen over opa's en oma's die dood waren gegaan. Over de buurman van Samir die een auto-ongeluk had gehad. Boris vertelde over zijn babyzusje dat bij de geboorte was overleden. En er waren heel veel verhalen over honden en poezen die dood waren gegaan. Zelf zei ik niets. Af en toe luisterde ik naar de andere kinderen maar veel vaker fladderden mijn gedachten naar Madieke.
Toen iedereen was uitverteld, stond meester Willem op. Hij haalde een stapeltje tekenpapier uit de kast. 'Ik ga vanmiddag even

naar Madieke toe. Ik denk dat ze het fijn zal vinden als ze weet dat we aan haar denken. Ik stel voor dat jullie allemaal iets voor haar maken dat ik kan meenemen. Een tekening of een brief, wat je wilt. Goed idee?'
Iedereen knikte. En hoewel we niet langer in de kring zaten, voelde ik de verbondenheid nog steeds.
Met het tekenpapier voor me op het tafelblad staarde ik voor me uit. Ik zou het hele papier willen volschrijven maar ik kon niet één woord bedenken.
Meester Willem knikte me toe. Ik keek naar de beker die op zijn bureau stond. Heel even moest ik weer aan het schilderij denken. Aan die zoen die ik niet wou. Het leek onbelangrijk nu.
Madieke...
Ik pakte een potlood. En toen wist ik wat ik zou tekenen. Ik legde het vel papier recht voor me neer. En het leek wel of ze uit de punt van mijn potlood vlogen: citroenvlinders, blauwtjes. En heel groot, in het midden, een koninginnenpage.

Toen ik thuiskwam, wilde ik mijn verhaal kwijt. Het was net of mijn hart in kleine stukjes uit elkaar was gevallen en in een mozaïekhart was veranderd. Kon ik maar iets doen voor Madieke. Iets om haar te troosten. Ik had vlinders voor haar getekend. Maar wat had ze daaraan? Toen ik ze tekende dacht ik dat het haar misschien een beetje blij zou maken, zoals Marietje blij was geworden van het vlinderkastje. Maar nu ik thuis was, voelde ik me ontevreden. Zo'n tekening, wat moest ze ermee?
Het was weer druk in de theetuin. Mama sjouwde af en aan met theekopjes en gebak. Ze had helemaal geen tijd voor mij.
Ik at een stuk appeltaart zonder er iets van te proeven. Daarna liep ik naar de schuur en rommelde ik tussen de potten verf. In een oude jampot stond nog een laag terpentine met een kwast erin. Ik pakte een doek en maakte de kwast schoon.

Ik dacht weer aan meester Willem. Aan dat heel speciale gevoel van verbondenheid dat er vanmiddag in de klas was. En toen moest ik ook weer aan Spook denken. Het was allemaal zo veel. Alsof mijn hoofd te klein was voor al die gedachten.
Ik schrok van Gabriël die achter me stond.
'Hoi Tom! Kijk eens wat ik voor je heb.'
Hij zette een groot blik verf op de werkbank.
'Ik heb mijn zoldertje opgeruimd. Dit blik stond er al een eeuwigheid. Ik dacht: misschien doe ik jou er een plezier mee.'
Ik bekeek het etiket. 'Zwart?'
'Ja, ik heb het ooit gekocht voor mijn oude tuinhek, maar dat heb ik vervangen. Wat denk je? Kun je het gebruiken? Misschien vind je zwart niet zo'n mooie kleur, maar dan kun je het als ondergrond gebruiken.'
Ik knikte. 'Dank je wel.'
'Is er iets, Tom?' Gabriëls blik was onderzoekend.
Er kwam ineens een snik uit mijn keel. 'Madieke,' zei ik.
Hij pakte mijn hand. En toen vertelde ik over haar moeder. Dat Madieke zo verdrietig was en dat ik niks kon doen. Ik ratelde maar door alsof Gabriël een knopje bij me had ingedrukt. Ik vertelde ook van de vlinders. En dat ik zo graag nog meer wilde doen. Maar dat ik niet wist wat.
Gabriël gaf me een zakdoek. Het was een grote rode, netjes tot een vierkantje gevouwen. Ik snoot mijn neus en maakte een raar trompetterend geluid waardoor ik in de lach schoot.
Ook Gabriël lachte even. 'Erg,' zei hij toen. 'Dat is heel erg voor Madieke om mee te maken. En ik kan me heel goed voorstellen dat je haar zou willen helpen, maar dat je niet weet hoe. Ik weet het ook niet. Verdriet kun je niet zomaar wegnemen. Maar misschien is dat ook wel goed. Klinkt dat raar? Madiekes moeder is overleden. Daar hóórt verdriet bij. Stel je voor dat ze nu alleen maar zou lachen en vrolijk zou zijn. Dat zou toch niet kunnen?'

'Zo had ik er nog niet naar gekeken.'
'Wees maar heel lief voor dat meisje.'
Dezelfde woorden had meester Willem ook gezegd.
Ik vertelde Gabriël over de klas. Hoe het was gegaan vandaag. Hoe we in de kring hadden gezeten met brandende waxinelichtjes. Dat we rekenen en taal gewoon hadden overgeslagen.
'Mooi,' zei Gabriël. 'Je hebt een fijne meester volgens mij.'
Ik knikte.
Gabriël keek over zijn schouder. 'Ik denk dat ik je moeder nog even moet gaan helpen. Gaat het weer?'
Toen pas zag ik het schort dat hij droeg. Het was bezaaid met theekopjes. 'Leuk schort,' zei ik.
'Heb ik van Marietje gekregen.' Gabriël knipoogde.
'Is het áán tussen jullie?' vroeg ik.
Gabriël lachte, een beetje kirrend, zoals hij wel vaker deed. Hij antwoordde niet maar gaf me een speelse tik op mijn schouder.

Hoofdstuk 18

Op zaterdagochtend werd de moeder van Madieke begraven. Madieke was niet meer op school geweest maar ze was iedere dag in mijn hoofd. Ik had nog een paar keer teruggedacht aan het gesprek met Gabriël. Misschien had hij gelijk en was het voor Madieke nu gewoon tijd om verdrietig te zijn. Maar toch hoopte ik dat het niet heel lang zou duren en dat ik iets kon doen om haar te helpen.

Ik was onrustig de laatste dagen. Ik maakte ruzie met Annemoon en met mama. Die begon alwéér te zeuren dat ik haar moest helpen in de theetuin. Maar het is háár restaurant, niet het mijne.

Op zaterdagochtend vroeg ze me het grind van het tuinpad aan te harken. Ik heb het mooi niet gedaan. Ik ben naar de Kerkstraat gegaan en daar heb ik gewacht totdat ik Madieke zou zien.

Madieke woont tegenover de kerk. Ik wist dat de begrafenis om elf uur zou beginnen. Dat had de meester verteld. Meester Willem zou er ook heen gaan samen met Pleun en Tilly.

Vlak bij de kerk is een steegje, daar ging ik in staan. Ik voelde me niet helemaal op mijn gemak. Net of ik een spion was. Maar ik móest Madieke zien. Ik móest zien of ze heel erg verdrietig was. Het regende een beetje, alsof de wolken wisten dat het vandaag geen vrolijke dag was. Ik had geen jas aan. Ik had het koud, maar dat voelde eigenlijk wel goed.

Vanuit het steegje kon ik ook het huis van Madieke zien. Er stonden heel veel auto's in de straat en voor de kerk stonden twee mannen die eruitzagen als een goochelaar. Ze droegen een zwart pak en in hun hand droegen ze een hoge hoed. Zouden die bij de begrafenis horen? Waar was die hoed dan voor?

Ik liep een beetje heen en weer. De klokken van de kerk begonnen te luiden. Ik keek omhoog. Ik zag ze bewegen in de toren.

Steeds meer mensen gingen de kerk in. Ergens wilde ik ook wel naar binnen gaan. Maar ik wist niet of dat mocht. Ik wist ook niet hoe alles moest in een kerk want ik was er nooit eerder geweest.
Ik schrok toen ik mijn naam hoorde en keek in het gezicht van Sanne. Ze droeg een tas waar twee broden uitstaken. 'Hoi!' zei ze.
Ik voelde me betrapt. Vooral toen ze zei: 'Sta je naar de begrafenis te kijken?'
Ik probeerde een smoes te bedenken. Maar met welke andere reden kon ik in de steeg naar de overkant staan kijken? Natuurlijk begon ik te blozen.
'Erg hè,' zei Sanne met een zucht. 'Ik vind het zo erg voor Madieke. En ze heeft ook nog twee kleine zusjes. Die hebben nu ook geen moeder meer. Ik ben blij dat mijn moeder niet ziek is. Ik moet er niet aan denken dat ze dood zou gaan.'
Ik dacht aan mama. Met haar gezeur over de theetuin. Ik nam me voor om meteen als ik thuiskwam het grind te gaan harken.
'Daar komen ze.' Sanne knikte naar de overkant. De deur van Madiekes huis was geopend. Ook daar zag ik twee mannen met zwarte jassen. Ze duwden een karretje met een grijs kleed erop tot voor de deur. Ik rekte me. Waar was die kar nou weer voor? Snel keek ik opzij. Sanne had de tas met broden op de grond gezet. Ze had een pluk haar in haar mond gestopt en kauwde erop terwijl ze naar de overkant keek. 'Zie je die mannen?' vroeg ze. 'Die horen erbij. Toen mijn opa werd begraven, waren ze er ook.'
'Die twee bij de kerk hebben een hoge hoed. Het zijn net twee goochelaars.'
Sanne spuugde de lok haar uit en proestte. Ze schrok er zelf van en sloeg meteen een hand voor haar mond.
Eigenlijk wilde ik dat ze wegging. Of in ieder geval dat ze nu haar mond hield. Ik kwam hier voor Madieke. Niet om met Sanne te kletsen. Misschien moest ik zelf niks meer zeggen. Als ik stil was,

wie weet hield zíj dan ook haar mond!
'Daar zijn ze!'
Ik zag nog net dat Sanne haar vingers in haar mond stopte en op haar nagels ging bijten. Toen hechtte mijn blik zich vast aan de overkant. De mannen brachten een kist naar buiten en tilden die op het karretje. De kist was wit met figuren erop. Ik schoof iets verder het steegje in. Ik wilde niet gezien worden. Sanne deed hetzelfde, de tas tussen haar benen meetrekkend.
Toen zag ik Madieke. Tegelijk met nog een heleboel mensen kwam ze naar buiten. Ik probeerde haar gezicht te zien maar haar veulentjesbruine haar waaide ervoor en daarna draaide ze zo dat ik alleen haar rug nog kon zien.
'Ik zou heel erg huilen als ik Madieke was,' zei Sanne. 'Jij niet?'
Mijn benen werden een beetje slap en mijn maag voelde hetzelfde als wanneer ik in de achtbaan had gezeten.
'Jij niet?' vroeg Sanne weer.
Ik knikte. Ik slikte en slikte, maar de brok die in mijn keel kroop, ging niet weg.

Op mijn kamer ging ik op bed zitten. Gelukkig was Dorus er die me spinnend begroette en op mijn schoot klom. Buiten sloeg de regen tegen het raam. Van beneden hoorde ik de stemmen van mijn vader en moeder. Nu het zo nat was, bleef de theetuin gesloten, hoefde er geen grind te worden geharkt en ook geen tafeltjes te worden gepoetst.
Dorus snuffelde aan mijn shirt. Ik was net binnen voordat de bui losbarstte. Mijn kleren waren droog gebleven maar hadden me niet warm kunnen houden. Ik gaf een ruk aan mijn dekbed en sloeg het om mij en Dorus heen. Dorus schraapte met zijn tongetje over mijn hand. Ik vond het een naar gevoel. 'Niet doen.' Ik trok mijn hand terug. Dorus rolde zich spinnend op en kneep zijn ogen dicht.

Madieke.
Een naam als een liedje. Ma-die-ke.
Ma-die-ke.
Ma-die-ke.
Zou ze ooit wel eens aan mij denken? En als ze dat deed, wat dacht ze dan?
Ik aaide Dorus over zijn rug. Op het plankje naast mijn bed lagen de plaatjes van vlinders die ik voor Marietje van internet had gehaald. Door de vlinders moest ik weer aan het kastje denken en aan Pieter. Pieter had brieven geschreven aan Marietje. Wat had ze daar ook alweer over gezegd? 'Als Pieter de dingen niet durfde te zeggen, dan schreef hij ze op.' Zoiets was het.
Was dat misschien een idee? Kon ik dat ook doen? Kon ik Madieke een brief schrijven? Maar wat moest ik daar dan in zetten?
Ik kreeg het warm en sloeg het dekbed terug. Met Dorus tegen me aangeklemd, schoof ik het bed af. Ik liep naar het raam en keek de tuin in. Ik zag papa tussen de tafeltjes lopen. Hij zette de stoelen er schuin tegenaan zodat het regenwater niet op de zittingen bleef liggen. Het bord aan de kastanjeboom zwiepte heen en weer en de hoge roze bloemen die overal in de tuin waren opgekomen, bogen in de wind.
Zou Gabriël ook brieven schrijven aan Marietje? Zou papa ooit brieven hebben geschreven aan mama?
Ik ademde een witte vlek op de ruit. Met mijn wijsvinger tekende ik er een hartje in. Maar ik veegde het meteen weer weg.
Wat zou Madieke vinden van een jongen met rood haar en een bril en een brandweerkop?

Hoofdstuk 19

Het leek wel of het nóóit maandag werd.
Het weekeinde was zo ontzettend langzaam voorbij gegaan dat het soms leek alsof de klok achteruit liep in plaats van vooruit.
Al die tijd had ik maar aan één ding gedacht: zou Madieke maandag weer op school zijn? En hoe zou het dan met haar zijn? Was ze bleek en stil en had ze verdrietogen? Dat moest haast wel. 'Het is nu een tijd om verdriet te hebben', dat zinnetje van Gabriël trippelde steeds opnieuw mijn hoofd binnen.
En ze was er. Vriendinnen sloegen hun armen om haar heen op het plein. En zelfs in de klas, toen we al in de kring zaten, hielden Pleun en Tilly allebei haar hand vast. Wat zou ik dat graag gedaan hebben!
Madieke was bleek, precies zoals ik had gedacht. En verdrietogen had ze ook. Maar ze huilde niet. En toen meester Willem vroeg of ze iets wilde zeggen, knikte ze meteen.
Ze vertelde een heleboel. Meer dan ik haar ooit eerder had horen zeggen. Eerst over haar moeder. Dat die zo lang ziek was geweest. En daarna over haar jongste zusje, Naomi, die niet wilde geloven dat mama dood was en daarom heel hard was gaan schreeuwen om haar wakker te maken. En dat ze in de tuin heel veel bloemen hadden geplukt en dat ze die allemaal bij mama hadden neergelegd.
Terwijl Madieke praatte, was het heel stil in de klas. Het was alsof Madieke iets had meegemaakt waar we allemaal nieuwsgierig naar waren maar wat we zelf alsjeblieft niet wilden meemaken.
Ten slotte vertelde Madieke over de begrafenis. En toen zei ze iets waardoor ik helemaal licht werd in mijn hoofd. Alsof mijn hoofd een ballonnetje werd dat zo door het open raam naar buiten kon vliegen. Iedereen keek naar mij maar ik had geen flauw idee waar

ik naar moest kijken. Dus tuurde ik maar naar de modderklodder die op de punt van mijn rechter schoen zat.
Madieke vertelde over de tekeningen die ze van ons had gekregen. Ze had ze aan haar vader en haar zusjes laten zien. En daarna had haar vader bedacht dat zij iets op de kist van mama zouden schilderen.
'En toen wist ik niet wat ik wílde schilderen,' zei Madieke. 'En toen keek ik weer naar jullie tekeningen en zag ik de vlinders van Tom. Toen heb ik geprobeerd er een paar na te schilderen.'
Vijf minuten later zat ik nog steeds doodstil naar de modder op mijn schoen te staren. Pas toen iedereen opstond en zijn stoel achter zijn tafel zette, belandde ik terug op aarde.

's Middags nam meester Willem mij even apart. Hij vroeg mij of ik om een uur of vijf nog even bij hem wilde langskomen om naar de sommen te kijken. Dat was weer een mooie gelegenheid om nog een keer extra door de Kerkstraat te rijden! Toen het vijf uur was stond ik dan ook in een stralend humeur bij hem op de stoep. Hoewel ik heel langzaam had gefietst, had ik geen glimp van Madieke kunnen opvangen. Dat was jammer. Maar ik hoefde maar een seconde aan het vlinderverhaal te denken en ik had alweer een glimlach van oor tot oor.
Ook meester Willem glimlachte toen hij opendeed. Het leek wel of hij me had opgewacht want ik had nauwelijks op de bel gedrukt of de deur zwaaide al open. 'Ha Tommie!'
Waarom zei hij dat toch altijd?
Ik liep achter hem aan. De schilderijen in de gang trokken meteen weer mijn aandacht.
'Waar is míjn schilderij eigenlijk?' Ik flapte de vraag er zomaar ineens uit. Ik schrok er zelf van.
'Jouw schilderij?...' Meester Willem kneep zijn ogen even tot kiertjes. 'Dat staat boven.'

'Mag ik het nog eens zien?' Het kwam vast door die vlinders. Het verhaal van Madieke had iets met me gedaan waardoor ik meer durfde dan gewoonlijk.
'Ehm... Jawel. Straks. Na de sommen.'
Ik zag wel aan zijn gezicht dat meester Willem niet zo blij was met mijn vraag. Waarom was dat?
'Ik wil het graag éérst zien. Straks vergeten we het misschien!' Ik voelde dat mijn handen vochtig werden.
'Oké, kom dan maar mee.'
Meester Willem ging me voor naar boven. Op de traptreden lag donkerblauwe vloerbedekking met witte spikkeltjes. Mijn vingers gleden over de leuning die koel en glad was. Boven op de overloop waren vier deuren. Eén stond er half open, daarachter was de badkamer. Ik zag een wastafel met een grote vierkante spiegel erboven.
'Hier is het.' Meester Willem opende de meest linkse deur.
Er was iets. Een spanning die in de lucht hing en die me zenuwachtig maakte. Nog even, dan zou ik het schilderij zien. En als ik er nou bloot op stond?
'Ga jij maar eerst.' Meester Willem duwde me naar binnen. Ik voelde zijn hand in mijn rug.
Ik schrok me kapot!
Overal zag ik schilderijen van blote jongens. Ze hingen tegen de muren of stonden op ezels. Ik begon te trillen. Het voelde niet goed om daar te zijn. Ik draaide me om.
'Wat is er?' Meester Willem keek me strak aan. 'Waarom beef je?' Hij trok me tegen zich aan, duwde mijn gezicht tegen zijn borst en streelde over mijn haar. Het trillen werd nog erger. Ik wilde me losrukken maar ik voelde me zo slap, ik kon alleen maar blijven staan.
'Ben je bang, Tommie?' De ademhaling van meester Willem werd zwaarder. Ik voelde zijn hartslag tegen mijn voorhoofd. 'Je

weet toch dat bloot heel gewoon is in de kunst? Daar hebben we het al eerder over gehad. Je hoeft niet te schrikken. Schrik alsjeblieft niet, Tommie.'
Ik bleef staan alsof ik versteend was maar intussen bleef die hand maar over mijn haar strijken. Ik werd misselijk.
Ineens duwde hij me een stukje van zich af. Ik voelde zijn ademhaling in mijn gezicht en keek op. Zijn ogen glansden vreemd. 'Ik heb jou ook bloot geschilderd, Tommie. Kom, ik zal het je laten zien.'
Hij pakte mijn arm en ik liet me meetrekken. Het schilderij was me niet meteen opgevallen tussen al die andere. Maar nu herkende ik mezelf onmiddellijk. Ontzet staarde ik naar mijn blote piemel. Die was er de vorige keer nog niet geweest, dat wist ik zeker.
Ik kreeg ineens weer een stem. Maar hij was heel dun. 'Dat wil ik niet! Ik wil dit niet!'
'Maar Tommie...'
'Ik heet geen Tommie!'
'Tóm dan. Tom, wat is er mis mee? Het is toch een prachtig schilderij. En jij vond mijn schilderijen zo mooi, dat zei je laatst nog.'
'Maar ik wil er niet bloot op!'
'Waarom niet? Je bent zo'n mooie jongen. Kijk toch eens hoe mooi je bent!'
'Nee!' Ik schreeuwde. Ik wilde naar de deur. Ik wilde weg. Naar huis of naar weet ik waar. Maar weg! Ver weg van hier. Hij greep me vast. 'Blijf bij me. Alsjeblieft, blijf nog even!' Hij trok me tegen zich aan. Zijn handen waren ineens overal. Ze waren groot en hard en gleden over mijn rug, mijn hals, mijn gezicht. En ineens waren ze op mijn billen, mijn benen en tussen mijn benen.
'Néé!' Ik gilde en duwde hem van me af met alle kracht die ik in me had. Hij bonkte met zijn rug tegen de deur en wankelde even. Zijn gezicht was rood en er glinsterden zweetdruppeltjes naast zijn neus.

Zijn ogen boorden zich in de mijne. De stilte tussen ons voelde vol dreiging en duurde maar en duurde maar. Toen onverwacht, strekte de meester een wijsvinger naar mij uit. 'Dit blijft tussen ons. Heb je dat heel goed begrepen? Eén woord hierover naar een ander toe en je zult er gruwelijk spijt van krijgen. Heb je dat gehoord?'
Ik knikte ja. En ik schudde nee. Wat moest ik nou doen? Nee schudden of ja knikken? Ik wilde naar huis!
'Je snapt toch wel dat je niet overgaat zonder mijn hulp? Je bent een zwakke leerling, Tom Hoogstraten! Zonder mijn hulp kun jij die Havo en de kunstacademie wel vergeten!'
Tranen begonnen over mijn wangen te stromen.
'Het is allemaal jouw eigen schuld, dat dit gebeurd is. Jij hebt het allemaal zelf uitgelokt met je gedrag. Jij hebt je aan mij opgedrongen. Gehoord?'
Ik knikte.
'Gehóórd?'
'Ja meester.' Ik hikte en trilde en snikte.
'Donder nou maar op!' Hij deed een paar passen opzij en toen kon ik eruit.

Hoofdstuk 20

Ik ben thuisgekomen maar ik weet niet hoe.
Er woedde een orkaan in mijn hoofd en in mijn lijf. Ik rende door de tuin, door het huis en daarna de trap op. Op mijn kamer smeet ik de deur achter me dicht, zo hard dat het drie huizen verder te horen moest zijn geweest. Met beide handen wreef ik over mijn gezicht waar tranen en snot door elkaar liepen. Het eerste wat ik zag was het krantenartikel dat keurig uitgeknipt op mijn bureau lag: 'Meester Willem van basisschool Het Kofschip Meester van de Maand!' Ik griste het naar me toe en scheurde het kapot. Het was dun krantenpapier dat zich moeiteloos liet versnipperen. Maar zelfs als het zo dik was geweest als een telefoonboek, dan nog had ik het in één beweging kunnen verscheuren.
Een vuile gore rotzak, dat was hij! Een vuilak! Een schoft! Het was niet normaal dat hij allemaal blote jongens schilderde. En dat hij mij tegen zich had aangedrukt en me had aangeraakt, overal aangeraakt! Misselijkheid golfde opnieuw in me omhoog. Ik trok mijn deur weer open en sloot me op in de badkamer. Ik rukte al mijn kleren uit en propte ze in de wasmand. Zelfs mijn schoenen gooide ik erbij. Alles wat ik aan had gehad bij meester Willem moest weg. Alsof ik zou gaan kotsen als ik het nog één seconde langer aan mijn lijf zou hebben.
Ik draaide de kranen open en ging onder de dampende douche staan. Met mijn ogen dicht liet ik het water via mijn hoofd over mijn lijf stromen. Het liep in mijn oren en mijn neus zodat ik af en toe een pas opzij moest maken om adem te halen. Maar meteen daarna verborg ik mij weer in het ruisende water. Na een paar minuten pakte ik de rugborstel. Die is van mijn vader en ik gebruikte hem nooit. Maar nu gooide ik er een halve fles douche-schuim op en begon ik mezelf af te schrobben op alle plaatsen

waar meester Willem me had aangeraakt. Ik ging maar door totdat mijn huid er zeer van deed. Daarna ging ik weer onder de sproeier staan, stijf als een etalagepop, met mijn armen langs mijn lichaam en mijn hoofd naar beneden.
Ik schrok van het gebons dat ik plotseling op de deur hoorde. Het was Annemoon. ‘Hé! Wie staat daar zo lang onder de douche? Ben jij dat, Tom?’
Ik gaf geen antwoord, kneep mijn ogen dicht en bewoog mijn hoofd naar achteren zodat het water op mijn kin spetterde.
Kort daarna werd er weer op de deur gebonkt. ‘Tom! Schiet eens op! Ik moet erin! Ik heb een handdoek nodig, ik ga zwemmen!’
Nog steeds bleef ik staan. Ik sloot mijn ogen en wilde alleen maar het warme water voelen dat de herinnering aan de handen van meester Willem moest verjagen.
‘Tom! Klier! Als jij niet opendoet, doe ík open hoor!’
Ik bleef staan waar ik stond.
Het drong nauwelijks tot me door dat er aan het slot werd gepeuterd. Ineens vloog de badkamerdeur open. Ik gaf een gil van schrik. Ik draaide mijn rug naar de deur en bedekte mijn onderlichaam met mijn handen. ‘Rot op!’ schreeuwde ik. ‘Wat doe je hier! Ga weg!’
‘Dan moet jij niet zo asociaal lang onder de douche gaan staan! Je staat er al een half uur onder! Het lijkt hier wel een sauna, idioot!’
Mijn stem sloeg over. Ik voelde me zo bloot dat ik niet wist waar ik mijn handen moest laten.
Annemoon pakte een handdoek. ‘Stel je niet aan. Ik heb heus wel eens vaker een piemeltje gezien hoor!’
Met een klap smeet ze de deur achter zich dicht.
Zonder eerst de kranen dicht te doen, stapte ik de douchecabine uit en draaide ik opnieuw het slot om. Maar ik wist dat Annemoon het met een beetje peuteren zo weer open kon draaien.

Ik pakte de grootste handdoek die ik kon vinden en kroop erin weg. Toen pas draaide ik langzaam de kranen dicht.

De volgende dag moest ik weer naar school. Ik had liever twintig keer achter elkaar de Eiffeltoren op en af geklommen dan dat ik nu weer oog in oog zou komen te staan met de meester.
'Voel je je wel helemaal lekker?' vroeg mama toen ik met holle ogen aan de ontbijttafel zat.
'Ja hoor,' zei ik en ik deed mijn best een stukje brood met pindakaas door te slikken. Natuurlijk had ik kunnen zeggen dat ik me ziek voelde, dan kon ik thuisblijven. Maar dan zou mama om het uur naast mijn bed staan met de thermometer of met een glas sinaasappelsap. En als ze merkte dat ik geen koorts had, zou ze eindeloos zeuren om uit te zoeken wat er met me aan de hand was. Maar ik kon toch niet vertellen wat er was gebeurd. Dat meester Willem... Ik stond op.
'Neem wat fruit mee,' zei mama. 'En een pakje sap. Ik vind dat je maar weinig hebt gegeten.' Ze gaf me een banaan. Terwijl ik hem aanpakte, woelde ze door mijn haar. 'Niet doen!' Ik zei het zo fel dat ik er zelf van schrok.
Ze sperde haar ogen verbaasd open. 'O, sorry!' zei ze en trok haar hand terug.
Om haar blik te ontwijken, draaide ik me meteen om. Regen tikte tegen het raam. Ik pakte mijn jack en propte de banaan en een pakje sap in de zakken. 'Nou,' zei ik. 'Ik ga. Dag!'
Buiten waaide een koude wind. Het leek wel herfst ineens, in plaats van bijna zomer. Het bord aan de kastanjeboom maakte een piepend geluid terwijl het meedeinde met de takken.
Traag fietste ik de straat uit.
Wat moet ik doen? De vraag buitelde door mijn hoofd en bonkte en schopte en dreunde. Ik wist niet of ik er wel tegen zou kunnen om meester Willem weer te zien. Ik hoefde maar aan hem te den-

ken en ik werd alweer misselijk. Zie je wel, mijn maag deed raar en mijn pindakaasboterham kroop terug in mijn keel. Ik ging langzamer fietsen. Ik was vlak bij een plantsoen waar een paar banken stonden. Ik besloot af te stappen en daar even te gaan zitten. Dan kwam ik maar te laat. Het kon me toch allemaal niks meer schelen. Ik duwde mijn fiets het voetpad op en koos een bank uit die een beetje beschut stond onder een boom. Maar het was intussen zo hard gaan regenen dat de druppels fel tussen de bladeren heen kletsten. Ze spatten op mijn hoofd. Ik trok mijn capuchon over mijn haar en ging zitten. Met opgetrokken schouders staarde ik voor me uit. Ik had gisteren al zoveel nagedacht, wat viel er nog meer te denken?

'Je hebt me aan me opgedrongen,' had meester Willem gezegd.

'Je hebt het zelf uitgelokt.'

Ik was zelf naar hem toegegaan, die zondag nadat we Mies en Ernie en Bert hadden gevonden. Dat was waar. En daarna ging ik vaker. Maar mocht dat dan niet? En hij had toch zelf voorgesteld om me te helpen met mijn sommen? Hoe moest dat dan nu verder met dat rekenwerk? Nu zou ik misschien blijven zitten. Maar dan zat ik nog een jaar langer bij hem! Dat wilde ik niet!

Ondanks de koude regen begon ik te zweten.

'Je bent een zwakke leerling,' dat had hij ook gezegd.

Een zwakke leerling.

Een zwákke leerling.

Ik trok mijn mouwen over mijn handen. Mijn broek was intussen kleddernat geworden en het water droop via mijn pijpen in mijn schoenen.

Gisteravond had ik op Wikipedia het woord 'pedofiel' opgezocht. Meester Willem was een pedofiel, dat moest wel. Een pedofiel is een volwassene die van kinderen houdt en met ze wil vrijen. Zoiets stond er. En dat wist ik ook al veel langer. Maar ik dacht dat een pedofiel een eng iemand was. Iemand die er vies uitzag

of zo. Of een onbekende die vroeg of je een snoepje wilde, of een cadeautje. En je dan de bosjes in trok.
Niet iemand als meester Willem.
Ik begon te huilen, heel stilletjes. Om wat er was gebeurd. Maar ook omdat ik mijn meester kwijt was.
Mijn supermeester was veranderd in een meester voor wie ik bang was.

Bijna een uur te laat kwam ik op school. Het water sopte in mijn schoenen toen ik de klas in liep.
Iedereen keek op.
'Zo hé, ben je in een sloot gevallen?' riep Samir.
Ik zei niets terug. Ik liep ook niet naar mijn stoel. Ik bleef gewoon staan. Om mij heen vormde zich een klein plasje.
Ik had niet geweten wat ik nog langer moest in het plantsoen. En omdat ik ook niet naar huis wilde, was ik toch maar naar school gefietst.
Ik durfde niet naar meester Willem te kijken maar ik voelde dat hij me opnam. Plotseling liep hij naar me toe. Ik kromp in elkaar. Hij bleef een paar passen van me vandaan. Hij vroeg niet waarom ik zo laat was. Zijn stem klonk heel gewoon toen hij mijn naam noemde: 'Tom? Kijk eens in de kast met reservekleren en trek wat anders aan. Ik wil niet dat je ziek wordt. Weet je welke kast ik bedoel?'
Ik knikte. Nog steeds zonder hem aan te kijken, draaide ik me om en sopte de klas uit.
De reservekleren lagen in een mand in de voorraadkast onder de trap. Ik viste er wat uit. Er zat niet veel in dat mijn maat was. Ik koos een spijkerbroek. Gelukkig zaten er ook een paar sokken in de mand. Ze waren groen, krokodillengroen, maar dat moest dan maar. Mijn shirt was gelukkig redelijk droog gebleven, dus dat kon ik aanhouden.

Waar kon ik me omkleden? Ik liep naar de wc. Achter de gesloten deur schopte ik mijn schoenen uit en stroopte ik de natte broek van mijn benen. Ik gooide hem op de grond, mijn druipende sokken erachteraan. Daarna wurmde ik mij in de reservebroek. Die was minstens een maat te klein en het viel niet mee om hem aan te krijgen. Ik trok mijn buik in zodat ik de rits dicht kon maken, maar de knoop kreeg ik niet door het knoopsgat. Ik ging op de wc-bril zitten. Voordat ik de krokodillensokken aantrok, probeerde ik mijn voeten er een beetje mee droog te wrijven. Ook toen ik allang klaar was, bleef ik zitten. Nu moest ik naar de klas. Ik steunde mijn hoofd in mijn handen en staarde naar de tegeltjes op de vloer. Ze waren grijs met grillige, witte figuren erin. Ik zuchtte diep. Ik leek wel vastgelijmd aan de wc-bril. Hoelang kon ik hier nog blijven zitten?
Ik schrok van de voetstappen die ik hoorde op de gang. Ze kwamen steeds dichterbij. Mijn handen werden vuisten. Ik durfde nauwelijks adem te halen. Meester Willem?
Zo stil mogelijk bleef ik zitten. Waarom hoorde ik niks meer? Er was iemand stil blijven staan vlak voor de deur van de jongens-wc's. Wie?
Toen hoorde ik mijn naam. Aarzelend. Zachtjes.
'Tom?' Het was de stem van een meisje. Het was Madieke!
Ik draaide het slot open en stapte naar buiten. Ze keek me aan met grote onderzoekende ogen. 'Alles goed?' vroeg ze. 'Je bleef zo lang weg.'
Ik kon alleen maar slikken en knikken.
'Hier,' zei ze. Ze had iets in haar hand. Ik pakte het aan.
'Ik kan het niet zo goed als jij,' zei ze. Meteen draaide ze zich om. Met lichte voeten rende ze de gang door, terug naar de klas. Vol verbazing keek ik haar na. Was het echt waar? Was Madieke mij achterna gekomen? En wat had ze me gegeven? In mijn hand lag een klein wit envelopje. Er zat een dubbelgevouwen kaartje in.

Op de voorkant stond een vlinder getekend. Een koninginnenpage. De vleugels waren niet even groot en de voelsprieten waren veel te dik maar hij was wel heel mooi en zorgvuldig ingekleurd.
Ik vouwde het kaartje open.
Voor Tom. Van Madieke, stond er. En daar achter drie kruisjes.

Voor Tom
Van Madieke XXX

Drie kruisjes. Drie kusjes.
Van Madieke. Voor Tom.

Hoofdstuk 21

Toen ik terugkwam in de klas zat bijna iedereen over zijn werk gebogen. Ik keek naar Madieke en zij keek naar mij. Ze had nog steeds verdrietogen maar toch was er een heel klein krulletje bij haar lippen.
'Tom!' Meester Willem wenkte me.
Schoorvoetend liep ik zijn richting op. Hij stak me een rekenblaadje toe. Ik pakte het aan. Overal rode strepen. En in de kantlijn het cijfer 3.
Ik keek naar mijn naam, rechts bovenaan het papier: Tom Hoogstraten. En in mijn hoofd hoorde ik de echo weer: 'Jij bent een zwakke leerling. Zonder mijn hulp kun jij die Havo en die kunstacademie wel vergeten!'
Ik perste mijn lippen op elkaar.
'Niet zo best hè, Tom,' zei meester Willem zacht. 'Het is zo pauze. Blijf jij dan even hier?'
Ik zei niets, draaide me om en liep naar mijn tafel. Ik trok mijn stoel er onderuit en ging zitten. Het blaadje lag voor me. Doordat het een kwartslag was gedraaid, zag ik in het cijfer 3 twee blote billen.
Ik deed het niet! Ik bleef in de pauze niet met hem alleen. Hij kon me niet dwingen!
Toen de bel ging, stond ik als eerste op. Het rekenblaadje had ik intussen opgevouwen tot een klein vierkantje. Ik stopte het in de zak van mijn broek en liep de klas uit.

Thuis snaaide ik in de keuken wat lekkers bij elkaar. Op de tafel lag een briefje van mama dat ze tegen zessen thuis zou zijn. Mooi. Lekker rustig. Niemand die aan mijn kop zeurde. Dat was precies wat ik nodig had.

Ik rende naar boven, naar mijn kamer en verwisselde de krappe spijkerbroek voor een broek van mezelf. Ik haalde het rekenblaadje tevoorschijn, vouwde het open en streek het glad. Daarna zocht ik een schrijfblok en een pen en rende ik weer naar beneden. Ik ging aan de keukentafel zitten en legde alles voor me neer, het rekenblaadje vlak voor mijn neus. Ik dronk sinas, at kleine hapjes cake en bestudeerde de sommen. Ik had een plan bedacht: Ik ging voortaan iedere dag thuis oefenen op de sommen. Ik had meester Willem helemaal niet nodig om ze weer uit te leggen, ik snapte ze best. Ik moest leren me te concentreren. Ik maakte fouten doordat ik me liet afleiden. Maar daar kon ik zelf iets aan doen!

Ik voelde me zo ontzettend opgelucht! Nu hoefde ik niet meer naar meester Willem toe. Over een week of vijf begon de zomervakantie en daarna zou ik in groep 8 komen, bij juf Greet.

Maar dan moest ik wel overgaan natuurlijk.

Vol goede moed begon ik aan de sommen. Misschien kon ik het rekenboek een keer meesmokkelen. Dan had ik nog meer oefenmateriaal.

Uit de eerste twee sommen kreeg ik met gemak dezelfde uitkomst als de vorige keer. Onder de derde som stond een rode streep dus daar ging ik extra goed voor zitten. Geconcentreerd tot in mijn tenen schreef ik de som over en begon ik te rekenen. Zo netjes mogelijk noteerde ik de uitkomst. Hoe kon dat nou? Ik had precies hetzelfde antwoord als op het rekenblaadje stond. Fout dus! Ik maakte de som opnieuw maar kreeg weer hetzelfde antwoord. Ik snapte er helemaal niets van. Wat deed ik fout? Wrevelig begon ik nog een keer maar ik kon niet ontdekken wat ik verkeerd deed. Ook bij som vier had meester Willem een rode streep gezet. Misschien moest ik maar gewoon verdergaan. Ik rekende som vier twee keer na. Beide keren kreeg ik hetzelfde antwoord als ik op school had ingevuld. Ik deed iets verkeerd, maar wat dan?

Waarom was deze uitkomst fout?
Met veel kabaal kwam Annemoon de keuken binnen. Ze liet haar rugzak op de grond ploffen. 'Ha broertje! Is mama er niet?'
Ik schudde mijn hoofd.
'Wat kijk jij raar uit je ogen! Ben je wel helemaal lekker?' Ze pakte een appel van de fruitschaal en kwam achter me staan. Ik wilde het rekenblaadje met de rode strepen naar me toe trekken, maar ze had het al te pakken. 'Zo hé, een 3!' Ze beet in de appel en plofte naast me neer met het blaadje in haar hand. 'Vind je rekenen zo moeilijk?' Ze praatte met volle mond en het sap van de appel spatte op haar kin. Ze veegde erlangs met haar duim.
Ik haalde mijn schouders op.
'Ik vond rekenen altijd leuk. Het leukste vak op de basisschool.'
Ik wilde het blaadje terugpakken maar ze gaf me geen kans. 'Wat is dit voor raars?' Ze klemde de appel tussen haar tanden en trok het schrijfblok naar zich toe. Snel rekende ze som drie na, en daarna som vier. Ze nam de appel weer uit haar mond. 'Zie je dit? Die meester van jou kan zelf niet rekenen! Of zijn antwoordenboekje klopt niet, zeg dat maar tegen hem. Wat een eikel!' Ze gaf me een stomp in mijn zij en liet het rekenblaadje voor me neerdwarrelen.
Ze was allang naar boven, naar haar kamer, toen ik daar nog steeds zat. Verdoofd. Verbijsterd.
De sommen dansten voor mijn ogen. De rode strepen golfden er tussendoor. De blote-billen-drie leek me grijnzend aan te staren.
Toen Annemoon haar stereo aanzette, kwam ik weer een beetje tot mezelf. Ik keek naar som zes, som zeven en som twaalf. Alle sommen die meester Willem fout had gerekend, maakte ik opnieuw.
Ik had hem door!

Ik moest naar hem toe! Ik moest hem vertellen hoe ik over hem

dacht! Zwakke leerling... Hulp nodig!... SMOESJES! Het was een rotstreek om iedere keer weer met mij te kunnen afspreken! Zodat hij aan me kon zitten zonder dat iemand het zag!
Op mijn fiets jakkerde ik naar zijn huis. Ik slalomde om auto's heen, liet mijn voorwiel steigeren over stoepranden en ontweek nog net een vrouw die met een kinderwagen het zebrapad overstak.
Ik had geen idee hoe ik het aan zou pakken. Ik geloof dat ik helemáál niet meer kon denken. Het donderde in mijn kop en het bliksemde achter mijn ogen. Ik wist alleen maar dat ik naar hem toe wilde.
Met volle vaart reed ik zijn straat in. Het eerste wat ik zag was zijn auto die voor de deur stond. Ik smeet mijn fiets tegen de heg en liep naar de voordeur. Ik drukte op de bel, lang en hard. Toen de deur niet meteen werd geopend, drukte ik mijn neus tegen het raam van de huiskamer. Er was niemand te zien. Op de tafel lag een opengeslagen tijdschrift en daarnaast stond een glas met een bodempje vruchtensap erin.
Was hij niet thuis? Opnieuw drukte ik op de bel. Ik drukte zo lang en hard dat mijn duim er zeer van ging doen.
Met mijn rug tegen de deur geleund bleef ik wachten.
Bij het buurhuis kwam een vrouw naar buiten. Het was dezelfde vrouw die ik de vorige keer had gezien. Ik hoopte dat ze me niet zou herkennen en draaide mijn hoofd de andere kant op.
'Hij is er niet hoor,' zei ze. 'Hij is hardlopen. Ik zag hem een half uurtje geleden vertrekken.'
'O,' bracht ik uit en ik draaide mijn hoofd weer terug.
Ze verwachtte blijkbaar geen reactie van me. Ze had een klein dik hondje bij zich. Dat trok ze aan een riempje met zich mee.
Hardlopen... Waar kon hij dan zijn?...
Natuurlijk: in het Papenbos!

Het Papenbos besloeg een flinke oppervlakte. Er waren heel wat paadjes waar je links- of rechtsaf kon slaan. In het begin reed ik rond als een dolle losgebroken stier, maar langzaam werd ik rustiger. En toen ik hem eindelijk zag, in een korte broek en met een zwart lopersshirtje, was mijn hartslag weer bijna normaal.
Daar was hij!
Ik liet mijn fiets in de struiken vallen. Ik zag meester Willem op zijn rug. Het pad waarop hij liep was glooiend en maakte een lus. Hij zou hier dadelijk opnieuw voorbij komen. En dan? Wat dan? Wat had ik ermee willen bereiken hem op te zoeken? Misschien zou hij me uitlachen. Of hij zou kwaad worden.
Ik keek om me heen. Er was hier verder niemand te bekennen. Ik zou hier net zo alleen met hem zijn als bij hem thuis. Misschien moest ik mijn fiets weer pakken. Als ik op het zadel zat kon ik meteen weg als hij me wilde pakken. Hij kon hard lopen, harder dan ik.
Ik stelde me zijn gezicht voor. Ik wist nog hoe hij eruit had gezien, de laatste keer bij hem thuis. Die glans in zijn ogen. En het was alsof ik weer die handen voelde op mijn rug. Op mijn billen. Tussen mijn… Er kwam een grommend geluid uit me. Een geluid dat ik niet kende van mezelf.
Ik stopte mijn vuisten in de zakken van mijn jack. Ik had een andere aan dan vanmorgen want mijn jas van die ochtend was nog steeds kleddernat. Mijn vingers sloten zich om iets wat in de rechterzak zat. Een balletje? Ik haalde het tevoorschijn. Gabriël had het me een poosje geleden gegeven. Het was gemaakt van repen fietsband, en keihard. Ik rolde het heen en weer in mijn handpalm.
Toen ik weer opkeek, kwam meester Willem juist aangelopen. Ik kon zijn krullen langs zijn oren zien wapperen. Hij liep in een regelmatig tempo, zijn armen zwaaiden rustig langs zijn lichaam. Ik kroop verder tussen de struiken.

Achter me vloog een vogel schetterend omhoog. Ik schrok me wild. En voordat ik wist wat er gebeurde, had ik het balletje in mijn hand geklemd en gooide ik.
Ik ben een slechte gooier, altijd al geweest. Maar nu raakte ik meester Willem. Het balletje knalde tegen zijn hoofd. Alsof ik keek naar een filmpje dat langzaam werd afgedraaid, zag ik zijn hoofd naar achteren klappen. Zijn armen gingen de lucht in, zijn rug naar de grond.

'Ben je daar eindelijk?' vroeg mama toen ik binnenkwam.
Ik stond te trillen op de deurmat.
'Waar kom je vandaan? Waarom leg je geen briefje neer als je weggaat? Iedereen doet hier maar!'
Ik opende mijn mond en ik deed hem weer dicht.
Mama stond gebogen over een emmer en kneep een dweil uit. Op de keukenvloer stond een plas water en voor een van de keukenkastjes lag een doos eieren in een gele drab.
'Pas op waar je je voeten neerzet,' waarschuwde mama. 'Ik heb al genoeg te doen. De vaatwasser is kapot. Ik heb de eieren laten vallen. Ik heb drie kwartier in de file gestaan. Op de brug nog wel, ik heb er toch al zo'n hekel aan om op de brug te staan.'
'Ik heb hem vermoord,' zei ik zacht.
'Papa belde net dat hij moet overwerken. Tom, ga alsjeblieft de keuken uit en loop me niet voor mijn voeten.' Mama blies tegen een haarlok die langs haar gezicht hing. Hij steeg even op en daalde toen weer op haar wang. Ik sjokte haar voorbij. Ik voelde een enorme drang om de rode plastic emmer om te trappen. Ik wilde dat mama haar mond hield. Dat ze naar me luisterde. Dat ze me zou helpen. Maar haar hoofd was bijna net zo rood als de emmer en haar blik was alleen maar op de dweil en op de keukenvloer gericht.
Het was alsof er iets was gebeurd dat niets met mij te maken kon

hebben. Het kon toch ook niet bestaan dat ik, een jongen van elf, mijn meester had vermoord. Die bal... Het gebéurde gewoon. Vanzelf was het gegaan.
Ik liep naar boven en botste bijna tegen Annemoon op. Ze had een handdoek als een tulband om haar hoofd gewikkeld. Op haar gezicht zat een dikke laag witte crème. Alleen rondom haar ogen was nog een stukje onbedekte huid te zien.
'Lach niet!' zei ze en grijnsde zelf van oor tot oor, als een lachend spook.
Ik zei niets en ging mijn kamer in. Ik keek naar de gordijnen alsof ik ze nog nooit eerder had gezien. Naar de muren. Naar het laminaat. Naar het plafond. Ik was er wel, ik keek wel, maar het was alsof ik niet meer bestond. Alsof alles wat altijd normaal was geweest in het niets was opgelost. Ikzelf vooral.
Annemoon stapte binnen zonder te kloppen. 'Zeg,' begon ze. 'Nog even over die meester van je. Ik vind het raar hoor, dat hij die sommen fout heeft gerekend. Ik heb laatst gehoord dat Pabostudenten vaak heel slecht zijn in rekenen, ik weet niet of het daaraan ligt? Maar zo krijg je ten onrechte lage cijfers, dat moet je niet pikken.'
Ik zei niets terug, ook niet toen ze nog even wachtte.
'Dan moet je het zelf maar weten!' Ze haalde haar schouders op en wilde weglopen.
'Ik heb hem vermoord.'
Ze sperde haar ogen open. 'Wát zeg je?'
Ik sloeg mijn handen voor mijn gezicht en begon weer te huilen.
'Ik heb hem vermoord.' Ik fluisterde.
'Vermóórd?' herhaalde Annemoon. Haar mond leek te twijfelen tussen lachen en gillen. Maar toen ik nog harder ging huilen, pakte ze mijn schouders vast en duwde me op bed. Ze kwam naast me zitten. 'Over wie heb je het? Over die meester?'
Ik knikte.

'Gek!' Ze trok de handdoek van haar hoofd en voelde aan haar haren. 'Doe niet zo raar, man. Hoe heb je dat gedaan dan?'
Toen ik opkeek, zag ik dat ze er niets van geloofde. 'Het is echt waar! Ik had een balletje, een keihard balletje, dat heb ik tegen zijn hoofd aangegooid.' Ik vertelde hoe het gegaan was. Hoe ik hem had zien lopen in het bos. En dat ik toen had gegooid. Ineens. Vanzelf. En dat hij achterover was gevallen en niet meer was opgestaan.
Nu was het Annemoon die zweeg.
De stilte kneep mijn keel dicht. Er waren alleen maar geluiden van beneden en van buiten. Maar tussen Annemoon en mij bleef het verpletterend stil. Toen ik het niet langer kon verdragen, zei ik: 'Wat moet ik doen?'
Annemoon pakte een punt van de handdoek en begon de crème van haar gezicht te vegen. 'Ik kan het niet geloven,' zei ze. 'Dat kan toch niet, dat hij dood is? Weet je zeker dat hij niet meer bewoog? Hoe lang heb je gewacht?'
Ik haalde mijn schouders op.
'Hoe lang heb je gewacht?' herhaalde Annemoon. 'Denk na, sukkel! Een minuut? Vijf minuten?'
Ik veegde over mijn natte gezicht. 'Ik ben meteen weggegaan.'
'Metéén? Ben je niet naar hem toegegaan om te kijken hoe het met hem was?'
'Denk je dat hij niet dood is?' Ik hield mijn adem in.
Annemoons stem klonk kwaad. 'Ja, hoe moet ik dat weten? Ik weet niet hoe hard je hem geraakt hebt. Ik ben geen dokter! Weet je nog waar hij ligt?'
'Ik ga niet kijken!' Ik wist zeker dat ik dat niet durfde. Ik stopte mijn vingers in mijn mond en beet onafgebroken op mijn nagels.
Annemoon stond op.
'Wat ga je doen?'
Ze was al bij de deur. 'Mijn mobiel pakken. Je moet 112 bellen.

Hij kan daar niet blijven liggen. Misschien moet hij naar het ziekenhuis.'
Ik veegde met mijn arm langs mijn neus.
Werd ik maar weer wakker. Het bestond niet dat dit allemaal echt gebeurde. Mijn keel deed zeer van het huilen.
'Ik bedenk nog iets anders!' Annemoon was alweer terug. 'Hoelang is het geleden dat dit is gebeurd?'
'Waarom?'
'Geef nou gewoon antwoord! Hoe laat was je daar?'
Ik probeerde me te herinneren hoe laat ik ongeveer in het bos was. 'Een uur geleden?' Ik huiverde.
Annemoon was weer naast me op het bed geploft. 'Heb jij het telefoonnummer van die meester? Bel hem op! Misschien is hij thuis. Als hij opneemt weet je in ieder geval dat hij nog leeft.'
Ik begon als een gek te zoeken. Ergens moest de schoolkrant liggen. Ik wist dat daar telefoonnummers op stonden. Hij lag onder mijn bureau. Bevend ging ik met mijn vingers langs de namen. Daar stond hij: Willem van Hout. Zijn nummer stond erachter.
'Bellen!' commandeerde Annemoon. 'Je hoeft niks te zeggen. Als hij opneemt, verbreek je de verbinding maar dan weet je in ieder geval dat hij niet dood is. Of zwaargewond in het bos ligt. Of is het een 06-nummer?'
Ik schudde mijn hoofd. Het lukte me niet de cijfers in te toetsen. 'Doe jij het voor me?' Mijn stem klonk smekend.
Laat hij gewoon thuis zijn. Laat er niks ernstigs gebeurd zijn. Laat hij niet dood zijn. Laat me geen moordenaar zijn...
Annemoon toetste het nummer in en drukte mij de mobiel in handen.
Nog nooit in mijn leven was ik zo bang geweest. Opnieuw stopte ik mijn vingers in mijn mond.
Ik hoorde de telefoon overgaan. Drie keer, vier keer, vijf keer.
'Met Willem van Hout.'

Ik vergat adem te halen.
'Hallo? Met wie spreek ik?'
Annemoon griste het mobieltje naar zich toe en verbrak de verbinding. Hoewel de crème grotendeels was weggeveegd, was haar gezicht griezelig bleek.
Ik ademde diep uit.
'Poe!' zei ze. 'Als je nog eens wat weet! Lekker broertje ben je!'

Hoofdstuk 22

Meester Willem had een bult op zijn hoofd zo groot als een paas-eitje. Hij was vlammend rood en of ik wilde of niet, ik moest er steeds naar kijken. Natuurlijk zagen de andere kinderen die bult ook.
'Heb je gevochten meester?' vroeg Jarno.
De meester liet een opgewekte lach zien. 'Wat denk je zelf, Jarno? Natuurlijk niet. Ik heb tijdens het hardlopen een tak tegen mijn hoofd gekregen. Ik heb hem flink geraakt. Of hij mij, het is maar hoe je het bekijkt.'
Ik had buikpijn gehad die ochtend. Ook al was ik gerustgesteld nadat ik de stem van de meester door de telefoon had gehoord, echt lekker voelde ik me niet. Logisch. Er was veel te veel gebeurd. Ik had Annemoon laten zweren dat ze niets zou door-vertellen aan papa en mama. Ze had het me beloofd, maar wel onder protest.
Nu was ik vooral moe. Ik had die nacht nauwelijks geslapen. Zelfs de vlinder van Madieke, die ik onder mijn kussen had gelegd, had me niet in slaap kunnen sussen.
Vandaag had ze nog niet naar me gekeken, Madieke. Ze zat heel stilletjes achter haar tafeltje, haar hoofd gesteund in de palm van haar hand. Zonder dat ik haar ogen zag, wist ik dat haar blik weer naar binnen was.
We begonnen met aardrijkskunde. Meester Willem is zelf in veel landen geweest. Hij bracht wel eens zelfgemaakte foto's mee die hij in de aardrijkskundeles liet zien. Vandaag vertelde hij over Mexico. Hij had een powerpoint-presentatie gemaakt waarin we de tempels konden zien die hij had bezocht. Ik vond het mooi. Het leidde me af van de chaos in mijn hoofd.

Midden in een verhaal over Chichén Itzá stak Pleun een vinger op.
'We gaan nou niet naar de wc,' zei meester Willem een beetje korzelig. 'Of is er iets anders dat je wilt vragen?'
'Ja!' Pleun ging staan en keek zoekend de klas rond. 'Waar is de beker gebleven?'
'De beker?' herhaalde meester Willem. Zijn ogen gingen naar het kastje achter zijn bureau.
Alle hoofden draaiden dezelfde kant op, ook de mijne.
'Ja meester! De beker van de krant is weg! Heb je hem mee naar huis genomen?' Samir was op zijn knieën op zijn stoel gaan zitten en wiebelde heen en weer.
Meester Willem liep dwars door de afbeelding van Chichén Itzá. Even zagen we alle traptreden van het bouwwerk op zijn rug. 'Wat is dat nou?' Hij streek door zijn haren, keek achter het kastje en keek nog eens.
'Is de beker niet thuis?' vroeg Sanne weer.
De ogen van de meester flitsten naar mij.
Alsof ik de Chichén Itzá zojuist had beklommen, zo begon mijn hart te kloppen.
Hij dacht dat ík hem had. Ik zag het meteen aan hem, die blik. Ik wilde nee schudden, zeggen dat ik er echt niets mee te maken had, maar dat duurde maar even. Toen vond ik het eigenlijk wel mooi, dat die beker weg was. En van mij móchţ hij denken dat ík hem had gepikt. Ik probeerde een onverschillig gezicht te trekken. Intussen waren verschillende kinderen van hun stoel gekomen om de meester te helpen zoeken. Iedereen riep door elkaar. Sommige kinderen reageerden heel aanstellerig, zoals Tilly die op haar buik ging liggen om onder de verwarming te kijken. Pleun keerde de prullenbak om en Boris riep dat de meester de politie moest bellen. Gelukkig waren er ook kinderen die gewoon op hun stoel bleven zitten, net als ik.

Hoewel ik duidelijk had gezien dat de meester even in verwarring was, zorgde hij er alweer snel voor dat de klas rustig werd. Hij klapte een paar keer in zijn handen en dwong met zijn ogen iedereen terug naar zijn plaats.
'Dit heeft weinig zin hè,' zei hij. 'Natuurlijk ligt die beker niet in de prullenbak of onder de verwarming.'
'Maar hij moet toch érgens zijn!' riep Tilly opgewonden.
'Hij zal best ergens zijn.' De meester sprak zacht, dat was de beste manier om iedereen goed te laten luisteren. 'En ik vertrouw erop dat hij ook weer terugkomt.'
'Ja maar, als hij is gestolen moet je de politie bellen!' zei Boris weer en een aantal kinderen viel hem bij.
'Wie doet nou zoiets? Zo'n beker stelen?' zei Sanne.
'De schoonmakers misschien.' Dat was Samir.
'Zeg!' De meester sloeg met zijn vlakke hand op tafel. 'Ben jij betoeterd! We gaan hier niemand beschuldigen, hoor je? Elkaar niet, de schoonmakers niet, niemand niet. Denk erom! In materieel opzicht is die beker niets waard. Hij glimt mooi maar hij is niet van zilver of zo.'
'Maar dat weet de dief misschien niet.' Dat was Samir weer.
Meester Willem zuchtte. 'Oké, daar heb je gelijk in. Maar ik stel voor dat we nu verdergaan met de les. Ik vertrouw erop dat die beker vandaag of morgen vanzelf terugkomt. En anders zien we later weer verder.'
'Die beker komt heus niet vanzelf terug. Hij heeft geen pootjes!' Samir gaf niet meteen op.
Meester Willem antwoordde niet meer. Hij liep weer dwars door de trappen van de piramide en ging verder met zijn verhaal over Mexico.
Ik ademde heel diep in en langzaam uit.
Wat kon er gebeurd zijn met die beker? Ik vond het haast jammer dat ik hem niet zelf had weggenomen. Het was meester Willem

zijn verdiende loon. Ik had die beker in de kliko moeten gooien!
Ik glimlachte bij het idee.
'Tom, let jij ook op?'
Kippenvel kreeg ik onder de blik van meester Willem.

Ik had er niet aan gedacht snel de klas uit te gaan, net zoals de vorige keer. Nu stond de meester in de deuropening. Ik wilde tegelijk met de anderen de gang op glippen, maar hij versperde me de doorgang. 'Tom, kan ik je rond een uur of vijf nog even spreken?'
Ik antwoordde niet en deed een stap naar achteren.
'Au!'
Ik trapte op de voet van Sanne.
'Sorry!'
De meester liet haar voorbijgaan. Ik liep meteen achter haar aan zodat hij geen kans had me opnieuw tegen te houden.

Hoofdstuk 23

Ik bleef er wel aan denken natuurlijk. Ook 's middags, toen ik allang weer thuis was. Toen piekerde ik me vooral suf over de vraag waar die beker kon zijn gebleven. Ik kon het antwoord niet bedenken.

Rusteloos rommelde ik wat rond in de garage. Ik zette mijn potten verf bij elkaar en keek de tuin in. Sinds vanmiddag was het zonnig en er zat alweer een aantal mensen in onze tuin taart te eten. Ik vond het nog steeds niks, al die vreemde lui met hun zonnebrillen en petjes. Van mij mochten ze ophoepelen, dan hoefde ik ook geen rekening met ze te houden.

Ik keek op mijn horloge. Het was bijna half vijf. Opnieuw vroeg ik me af wat er zou gebeuren als ik om vijf uur naar de meester zou gaan. Niet dat ik dat van plan was, mooi niet. Maar: wat wilde hij van me? Hij dacht dat ik die beker had, dat wist ik bijna zeker. Wilde hij daarover praten? Of wilde hij me weer vertellen dat mijn sommen zogenaamd vol fouten zaten? Of wilde hij gewoon aan me z... Ik kon niet eens verder denken. Ik schrok van een traan die zomaar langs mijn wang liep.

Moest ik dan toch aan papa en mama vertellen wat er was gebeurd? Maar misschien vonden zij ook wel dat het allemaal mijn eigen schuld was.

Ik draaide de verfblikken rond. Het blik zwarte verf dat ik van Gabriël had gekregen, zat nog helemaal vol. Ik zette het blik gele verf ernaast. Bananengeel. Daarnaast het strakke-luchten-blauw en het zure-appeltjes-groen. De kleur die ik steeds zo mooi had gevonden. De kleur die meester Willem ook gebruikte in zijn schilderijen.

Meester Willem, Meester van de Maand. Rotzak van de maand. Rotzak van de school!

Ineens besloot ik om toch naar hem toe te gaan. Ik zou niet naar binnen gaan maar voor zijn deur blijven staan en zeggen wat ik van hem dacht. Waarom zou ik bang voor hem zijn? Hij moest bang zijn voor mij! En het werd tijd dat hij dat doorkreeg!
Ik pakte mijn fiets en scheurde dwars tussen de theedrinkende bezoekers door.
'Tom!' riep mama.
Maar ik deed alsof ik haar niet hoorde.

En toen was er weer dezelfde aarzeling als de dag ervoor in het bos. Ik was vlak bij zijn huis en ik wist het niet meer. Hoe kon het toch dat ik op het ene moment zeker wist dat ik hem de waarheid ging vertellen en het volgende moment overliep van twijfels.
Zou ik wel?...
Zou ik niet?...
Ik stond in zijn straat. Ik kon zijn huis zien, maar op de een of andere manier reed ik niet verder. Ik stapte van mijn fiets. Er was niets te zien aan het huis. Een gewoon huis. Een rood pannendak. Ramen boven, ramen onder. Een voordeur. Een tuin met bloemen. Een brievenbus aan het begin van het tuinpaadje.
In dit huis woonde een meester die met kinderen wilde vrijen.
Met mij!
Daar was het weer: dat grommende geluid waar ik zelf bang van werd. Ik slikte en slikte. Mijn handen knepen keihard in de handvaten van het stuur.
Zou hij mij nog verwachten om vijf uur?
Ik kneep nog harder. Ik kneep zo hard dat het pijn deed. Maar dat wilde ik ook. Want als mijn handen pijn deden, voelde ik dat andere misschien niet.
De deur ging open.
Ik deinsde achteruit en trok mijn fiets mee. Ik dook achter een bestelbus. Door de ramen van de bus heen kon ik nog steeds zien

wat er bij het huis van meester Willem gebeurde.
Er kwam iemand naar buiten. Het was een meisje. Ik hoefde haar gezicht niet te zien om te weten wie het was. Alleen één arm, één been, was genoeg om haar te herkennen.
Het was Madieke.
Meester Willem stapte achter haar het huis uit. Hij deed de deur op slot. Hij sloeg een arm om haar heen. Samen liepen ze naar zijn auto. De meester opende het portier en Madieke stapte in. Het veulentjesbruine haar verborg haar gezicht.
Ik wachtte niet totdat de meester ook was ingestapt. Ik keerde mijn fiets en wilde maar één ding: naar huis.

Ik werd wakker van mijn eigen schreeuw. Het dekbed zat als een klamme prop om me heen gedraaid. Mijn keel was droog alsof ik vijf beschuiten had gegeten.
Madieke! Haar naam bonkte van mijn hoofd tot mijn tenen.
Ik ging rechtop zitten en schopte tegen het dekbed. Het viel naast me op de grond. Rillend maakte ik licht. Het was kwart over twee. Ik staarde naar de muur tegenover mij maar het enige wat ik zag was Madieke die uit het huis van de meester kwam en die samen met hem in zijn auto stapte. De arm van de meester om haar heen.
Ik was net op tijd bij de wastafel. Braaksel golfde in me omhoog en liep uit mijn mond. Ik draaide de kraan open.
Wat deed hij met Madieke?
Hij mocht niet aan Madieke komen. Als er iets was dat ik hem nooit zou vergeven, dan was het dat. Madieke met het veulentjesbruine haar. Met haar brede mond en haar verdrietogen.
Ik hield mijn handen onder de waterstraal en spoelde mijn mond. Daarna hield ik mijn gezicht eronder. Het water liep in mijn nek en droop over mijn rug.
Ik zou hem krijgen!

Er was geen plan. Het ging helemaal vanzelf. Ik schoot in mijn kleren, deed het licht uit en sloop het huis uit. Ik draaide de keukendeur van het nachtslot en liep door de tuin die stil en roerloos was, naar de garage. Ik pakte de grootste kwast die ik had en de verfpot die nog helemaal vol zat. Met een schroevendraaier wipte ik het deksel open en legde ik het losjes terug.
Daarna fietste ik naar het huis van de meester.

Ik wist niet dat woede je rustig kon maken. Maar misschien kwam die rust omdat ik nu eindelijk wat ging doen. Ik zette mijn fiets naast de heg.
Pal voor het huis brandde een lantaarn. De hele straat leek in diepe slaap.
Ik liep het tuinpaadje op, het verfblik in de ene hand, de kwast in de andere.
Voor de deur zette ik het blik op de grond. Met mijn vingernagel haalde ik het deksel eraf. Daarna zette ik de eerste streek. De eerste streek is altijd de mooiste, het spannendste. De eerste streek geeft me altijd een gevoel van opwinding, van verwachting.
De kwast zwiepte van links naar rechts. Ik doopte hem opnieuw in het verfblik. Met kracht zette ik de volgende streek, en nog een en nog een. Druipend maaide de kwast over de muur en raakte het raam. De zwarte verf liep over de vensterbank en over mijn handen. Steeds sneller ging het. Ik hoorde mijn eigen ademhaling.
Toen was er nog iets. Een geluid. Ik draaide me om, de kwast met gestrekte arm voor me uit.
'Spook?'
Ik zag hem voor het eerst zonder muts en zonder staart. Zijn lange haar hing slordig over zijn schouders en zijn ogen waren heel groot.
'Tom?'

Doodstil stonden we daar, alleen maar kijkend naar elkaar. Langzaam zakte mijn arm.
'Jij ook hè?' zei Spook toen. 'Hij probeert het met jou ook hè.'
Ik knipperde met mijn ogen.
'Ik wist het. Ik woon hier tegenover. Ik heb je hier vaak genoeg gezien.'
Ik keek naar het huis aan de overkant.
'Ik wilde je waarschuwen. Maar ik wist niet... Ik durfde niet... En toen kwam jij ook nog met die beker. Voor die vuilak!' Hij huilde en hij veegde zijn tranen niet eens weg.
'Ja maar... Ik...' Wat moest ik zeggen?
'Ik moest naar de wc, zonet,' zei Spook. 'Zie je dat raam? Ik dacht dat ik een inbreker zag maar toen herkende ik je. Smeer de boel maar onder! Verf de hele boel maar vol. De... de... Wacht!' Hij draaide zich om. 'Ik ben zo terug.'
Ik keek hem na. Toen hij terugkwam had hij iets in zijn handen. Het glom in het licht van de straatlantaarn. Met een krachtige zwaai gooide hij het door de ruit van de voordeur.
Het was de beker voor de Meester van de Maand.
Ik deinsde achteruit om de wegvliegende glassplinters te ontwijken.
In het huis gingen de lichten aan. Er klonken snelle voetstappen op de trap. 'Wat gebeurt er allemaal?' riep meester Willem.
Gek is dat, ik bleef gewoon staan.
Meester Willem opende de kapotte deur. Ik zag zijn ogen heen en weer gaan. Van mij, naar Spook en weer terug naar mij. 'Tommie?'
Spook gaf een ruk aan mijn mouw. 'Lopen! Tom... Weg!'
Toen pas besefte ik wat we hadden gedaan. Ik liet het verfblik uit mijn handen vallen. De kwast slingerde ik ergens tussen de struiken. Daarna pas kwam er beweging in mijn benen en rende ik samen met Spook weg van het huis.

'Tom! Sietse!' De stem van meester Willem galmde ons achterna. Ik keek even om en zag dat hij achter ons aan kwam. Nu was ik het die Spook aanspoorde: 'Lopen! Daar komt hij!'
Onze voeten raakten nauwelijks de straatstenen.
'Hier, links, de brandgang in!' Spook greep opnieuw mijn mouw en ik zwenkte opzij.
De brandgang was smal en donker. In zijn zwarte kleren was Spook nauwelijks zichtbaar maar zijn voetstappen waren hoorbaar, net zoals de mijne. Ze weerkaatsten tegen de muren rondom ons. Ook de voetstappen van de meester waren te horen.
Met gebalde vuisten en samengeperste lippen rende ik verder.
'Hier, naar binnen!' Opnieuw trok Spook me mee.
We stonden in een tuin met veel struiken en bomen. We kropen erin weg. Een tak striemde langs mijn gezicht en bijna viel mijn bril af. Met twee handen drukte ik hem vast op mijn neus.
In de brandgang klonken de voetstappen van de meester. Nog verder probeerden we weg te kruipen. Als hij had gezien dat we de tuin waren ingegaan, dan zou hij ons nu te pakken hebben. Bewegingloos bleven we staan. We hoorden de meester verder lopen. Heel langzaam lieten we onze adem gaan. Ik was duizelig van angst en spanning.
Hoelang stonden we daar? Er gingen minuten voorbij voordat we iets durfden te zeggen.
'Hij is weg,' zei ik.
Spook was niet gerustgesteld. 'Hij kan nog steeds vlakbij zijn.'
We fluisterden.
'Ik vertrouw hem niet.' Dat was Spook weer. 'Misschien is hij heel zachtjes teruggekomen en staat hij ons op te wachten in de brandgang.'
Mijn knieën knikten. 'Wat moeten we doen?'
Spook verzette een voet. Er knapte een takje. Van schrik kon ik bijna niet meer ademen. Bevend luisterde ik of er als reactie een

geluid uit de brandgang kwam. Maar daar bleef het stil.
'Ik heb een plan.' Spook boog zich heel dicht naar me toe. 'We moeten de politie bellen.'
Ik kon alleen maar knikken.
'Ik ken de mensen die hier wonen. Ik loop naar de voorkant van het huis en bel aan. Ik mag vast hun telefoon wel even gebruiken.'
'Ja maar...' Ik slikte. 'Als meester Willem daar staat...' Ik knikte in de richting van de brandgang. 'En als hij je ziet. Ddd....dan...'
Ik kon er niets aan doen dat ik stotterde.
Spook schudde zijn hoofd. 'Daarom moeten we niet samen gaan. Jij blijft hier. Als de meester mij ziet en hij pakt me, dan ga ik keihard gillen. Dan ren jij de andere kant op. Ren maar naar mijn huis. Hij kan ons niet allebei tegelijk pakken.'
Ik drukte mijn nagels in mijn handpalmen. Het was een goed plan. Zo moesten we het doen. Ik kon alleen maar verschrikkelijk hopen dat ik de tuin niet uit hoefde. Dat ik gewoon tussen de struiken kon blijven staan totdat er hulp kwam. Ik keek Spook aan. Ik was blij dat hij wist wat we moesten doen. 'Oké,' fluisterde ik. 'Ga maar! Als je gilt, ren ik de andere kant op.'
Pasje voor pasje sloop Spook bij me vandaan. Ik probeerde het gebonk van mijn hart niet te voelen. Laat alles goed gaan, dat was het enige wat ik nog kon denken. Ik deed mijn ogen dicht en toen ik ze weer opendeed, was Spook verdwenen. Gespannen tot in mijn tenen luisterde ik, klaar om het kleinste geluidje te kunnen opvangen.
De tijd had geen minuten meer, geen seconden. De tijd was onmeetbaar.
Laat alles goed gaan.
Alsjeblieft.
Alsjeblieft.
Toen was er een geluid. Ik draaide in de richting van het huis. Er floepten lichten aan. Ik hoorde Spooks stem: 'Tom? Tom, kom maar binnen!'

Ik sloeg tegen de struiken en struikelde de tuin uit. Door de brandgang rende ik naar Spook die in de geopende voordeur op me wachtte.

Nawoord

Meester Willem is veroordeeld. Hij heeft een gevangenisstraf gekregen, het schoolbestuur heeft hem ontslagen en hij is verhuisd. Waarheen, dat weet ik niet. Dat hoef ik ook niet te weten. Bij huiszoeking vond men behalve de schilderijen ook kinderporno. Uit onderzoek bleek dat meester Willem in het verleden al eerder is aangeklaagd wegens een zedendelict, het was dus niet voor het eerst dat hij kinderen lastigviel.
Op school was iedereen vol ongeloof over wat er was gebeurd. Juf Greet nam onze klas over en er kwamen ook mensen van Slachtofferhulp. Er is veel gepraat en gehuild. Veel kinderen en ook de grote mensen waren boos op meester Willem. Het was allemaal heel moeilijk.
Dit alles gebeurde zo'n twee jaar geleden. Nu ben ik 13 en zit ik in de brugklas.
Eigenlijk heb ik heel lang geprobeerd alles te vergeten. Maar dat lukte niet. Ik ben bang geworden, en wantrouwend. Nog steeds schrik ik als er onverwacht iemand achter me staat of als iemand me aanraakt.
Meester Willem heeft me een brief gestuurd. Er stond in dat hij veel spijt had van wat er was gebeurd. Spook heeft ook zo'n brief gekregen. We hebben hem allebei weggegooid. Spook is trouwens een goeie vriend van me geworden. Hij zit op dezelfde scholengemeenschap als ik. Madieke zie ik ook nog wel eens. Ik vind haar nog altijd mooi. Maar ik vind het ook nog steeds genoeg om aan haar te kunnen denken en om af en toe een glimlach van haar op te vangen. Meer hoeft niet.
Meester Willem heeft háár trouwens nooit lastig gevallen. Alleen maar getroost toen ze verdrietig was. Ook die middag dat ik haar bij hem in de auto zag stappen.

Dat vond en vind ik nog steeds heel moeilijk: dat meester Willem zo'n aardige meester was. Ik had liever gehad dat hij een rotmeester was. Iemand die heel saai les gaf en nooit grapjes maakte. Die altijd zeurde en strafwerk gaf.

Papa en mama zijn woedend geweest. Ze waren boos op mij omdat ik hun niets had verteld. Maar nog veel en veel bozer waren ze op de meester. Omdat de meester heel goed wist dat seks bij grote mensen hoort en niet bij kinderen. Dat hij mij en Spook nooit had mogen strelen of zoenen.

Weet je met wie ik veel heb kunnen praten? Met Gabriël en Marietje. Ze wonen sinds een jaar samen in het huis van Marietje. Hoe vind je dat? En op het vlinderkastje staat nu niet alleen een foto van Pieter, maar ook een foto van Anneke, de overleden vrouw van Gabriël.

Marietje was met het idee gekomen om alles wat er is gebeurd op te schrijven. 'Weet je nog?' zei ze, 'dat Pieter de dingen die hij niet kon zeggen altijd opschreef? Misschien helpt het als jij alles wat er is gebeurd van je af schrijft.'

Met Gabriël heb ik gepraat over hoe boos ik nog steeds ben. En over hoe verdrietig ik me af en toe voel.

'Herinner je je nog de dag dat de moeder van Madieke was overleden?' vroeg hij. 'Weet je nog wat ik toen heb gezegd?'

Ik wist het nog: 'Dat het vreemd zou zijn als Madieke niet verdrietig zou zijn.'

'En zo zou het ook vreemd zijn als jij nu niet verdrietig en boos zou zijn, Tom. Wat er is gebeurd is heel erg. Daar kan toch niemand om lachen? Maar weet je wat ik vanmorgen op de kalender las? Ik heb een kalender met spreuken. Wacht, ik haal hem voor je.'

Hij gaf me het afgescheurde blaadje. Er stond een rare zin op. Ik las hem twee keer: 'De vogel van verdriet mag even op je hoofd gaan zitten maar laat hem geen nest bouwen in je haar.'

Ik staarde er een beetje stom naar.
'Bewaar die spreuk maar,' zei Gabriël. 'En lees hem af en toe. Op een dag zul je wel begrijpen wat er bedoeld wordt.'
Tegenwoordig heb ik een eigen vlinderkastje. Net als het kastje van Marietje, heb ik het beschilderd met blauwtjes, citroenvlinders en een koninginnenpage... Dat kalenderblaadje heb ik erin gelegd. En dit verhaal, alles wat ik nu heb opgeschreven, leg ik er ook in.
Ik hoop dat het helpt.

Misschien heb je zelf vervelende dingen meegemaakt waarover je wilt praten. Je kunt altijd bellen met iemand van de Kindertelefoon. Je hoeft je naam niet te noemen en het telefoonnummer is gratis.

Telefoonnummer 0800-0432

Naam: Mieke van Hooft
Geboortedatum: 8 september 1956
Woonplaats: Wageningen
Burgerlijke staat: getrouwd
Kinderen: 2 (zoons)

Schrijft sinds: ze kan lezen, dus ca. haar zesde jaar.

Aantal boeken: 50!

Beroemdste boek: *De tasjesdief* (vertaald in het Frans, Duits en Hindi) en verfilmd. De film kreeg zeven internationale prijzen.

Bekroningen:
Eerste prijs van de Kinderjury 1990; Eremedaille van de Kinderjury 2007; Le grand Prix Européen du Roman pour Enfant (prijs voor het beste Franse kinderboek); tien kinderjurytips.

Hobby's: taarten bakken, lezen, hardlopen, reizen.

Motto: 'Het beste komt nog!'

Een greep uit het oeuvre:
Het grote boek van Sebastiaan
Beroemd
Brulbaby's
Raadsels
De truc met de doos
Straatkatten
Het doorgezaagde meisje
De lachende kat
Het prijzenmonster
De suikersmoes
Geen geweld